사고력 수학 소마가 개발한 연산학습의 새 기준!!
소마의 **마**술같은 원리**셈**

소마셈

B2
2학년

수학이 즐거워지는 특별한 수학교실
소마에서 개발한 연산교재 소마셈 **소마셈**

2002년 대치소마 개원 이후로 끊임없는 교재 연구와 교구의 개발은 소마의 자랑이자 자부심입니다. 교구, 게임, 토론 등의 다양한 활동식 수업으로 스스로 문제해결능력을 키우고, 아이들이 수학에 대한 흥미와 자신감을 가질 수 있도록 차별성 있는 수업을 해 온 소마에서 연산 학습의 새로운 패러다임을 제시합니다.

연산 교육의 현실

연산 교육의 가장 큰 폐해는 '초등 고학년 때 연산이 빠르지 않으면 고생한다.'는 기존 연산 학습지의 왜곡된 마케팅으로 인해 단순 반복을 통한 기계적 연산을 강조하는 것입니다. 하지만, 기계적 반복을 위주로 하는 연산은 개념과 원리가 빠진 연산 학습으로써 아이들이 수학을 싫어하게 만들 뿐 아니라 사고의 확장을 막는 학습방법입니다.

초등수학 교과과정과 연산

초등교육과정에서는 문자와 기호를 사용하지 않고 말로 풀어서 연산의 개념과 원리를 설명하다가 중등교육과정부터 문자와 기호를 사용합니다. 교과서를 살펴보면 모든 연산의 도입에 원리가 잘 설명되어 있습니다. 요즘 현실에서는 연산의 원리를 묻는 서술형 문제도 많이 출제되고 있는데 연산은 연습이 우선이라는 인식이 아직도 지배적입니다.

연산 학습은 어떻게?

연산 교육은 별도로 떼어내어 추상적인 숫자나 기호만 가지고 다뤄서는 절대로 안됩니다. 구체물을 가지고 생각하고 이해한 후, 연산 연습을 하는 것이 필요합니다. 또한, 속도보다 정확성을 위주로 학습하여 실수를 극복할 수 있는 좋은 습관을 갖추는 데에 초점을 맞춰야 합니다.

 소마셈 연산학습 방법

 10이 넘는 한 자리 덧셈 — **구체물을 통한 개념의 이해**

덧셈과 뺄셈의 기본은 수를 세는 데에 있습니다. 8+4는 8에서 1씩 4번을 더 센 것이라는 개념이 중요합니다. 10의 보수를 이용한 받아 올림을 생각하면 8+4는 (8+2)+2지만 연산 공부를 시작할 때에는 덧셈의 기본 개념에 충실한 것이 좋습니다. 이 책은 구체물을 통해 개념을 이해할 수 있도록 구체적인 예를 든 연산 문제로 구성하였습니다.

 가로셈 — **가로셈을 통한 수에 대한 사고력 기르기**

세로셈이 잘못된 방법은 아니지만 연산의 원리는 잊고 받아 올림한 숫자는 어디에 적어야 하는지만을 기억하여 마치 공식처럼 풀게 합니다. 기계적으로 반복하는 연습은 생각없이 연산을 하게 만듭니다. 가로셈을 통해 원리를 생각하고 수를 쪼개고 붙이는 등의 과정에서 키워질 수 있는 수에 대한 사고력도 매우 중요합니다.

 곱셈구구 — **곱셈도 개념 이해를 바탕으로**

곱셈구구는 암기에만 초점을 맞추면 부작용이 큽니다. 곱셈은 덧셈을 압축한 것이라는 원리를 이해하며 구구단을 외움으로써 연산을 빨리 할 수 있다는 것을 알게 해야 합니다. 곱셈구구를 외우는 것도 중요하지만 곱셈의 의미를 정확하게 아는 것이 더 중요합니다. 4×3을 할 줄 아는 학생이 두 자리 곱하기 한 자리는 안 배워서 45×3을 못 한다고 말하는 일은 없도록 해야 합니다.

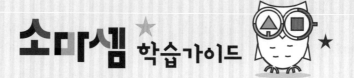

소마셈 학습가이드

K단계 (5, 6, 7세) · 연산을 시작하는 단계

뛰어세기, 거꾸로 뛰어세기를 통해 수의 연속한 성질(linearity)을 이해하고 덧셈, 뺄셈을 공부합니다. 각 권의 호흡은 짧지만 일관성 있는 접근으로 자연스럽게 나선형식 반복학습의 효과가 있도록 하였습니다.

학습대상 : 연산을 시작하는 아이와 한 자리 수 덧셈을 구체물(손가락 등)을 이용하여 해결하는 아이

학습목표 : 수와 연산의 튼튼한 기초 만들기

P단계 (7세, 1학년) · 받아올림이 있는 덧셈, 뺄셈을 배울 준비를 하는 단계

5, 6, 9 뛰어세기를 공부하면서 10을 이용한 더하기, 빼기의 편리함을 알도록 한 후, 가르기와 모으기의 집중학습으로 보수 익히기, 10의 보수를 이용한 덧셈, 뺄셈의 원리를 공부합니다.

학습대상 : 받아올림이 없는 한 자리 수의 덧셈을 할 줄 아는 학생

학습목표 : 받아올림이 있는 연산의 토대 만들기

A단계 (1학년) · 초등학교 1학년 교과과정 연산

받아올림이 있는 한 자리 수의 덧셈, 뺄셈은 연산 전체에 매우 중요한 단계입니다. 원리를 정확하게 알고 A1에서 A4까지 총 4권에서 한 자리 수의 연산을 다양한 과정으로 연습하도록 하였습니다.

학습대상 : 초등학교 1학년 수학교과과정을 공부하는 학생

학습목표 : 10의 보수를 이용한 받아올림이 있는 덧셈, 뺄셈

B단계 (2학년) · 초등학교 2학년 교과과정 연산

두 자리, 세 자리 수의 연산을 다룬 후 곱셈, 나눗셈을 다루는 과정에서 곱셈구구의 암기를 확인하기보다는 곱셈구구를 외우는데 도움이 되고, 곱셈, 나눗셈의 원리를 확장하여 사고할 수 있도록 하는데 초점을 맞추었습니다.

학습대상 : 초등학교 2학년 수학교과과정을 공부하는 학생

학습목표 : 덧셈, 뺄셈의 완성 / 곱셈, 나눗셈의 원리를 정확하게 알고 개념 확장

C단계 (3학년) · 초등학교 3, 4학년 교과과정 연산

B단계까지의 소마셈은 다양한 문제를 통해서 학생들이 슬겁게 연산을 공부하고 원리를 성확하게 알게 하는데 초점을 맞추었다면, C단세는 3학년 과정의 큰 수의 연산과 4학년 과정의 혼합 계산, 괄호를 사용한 식 등, 필수 연산의 연습을 충실히 할 수 있도록 하였습니다.

학습대상 : 초등학교 3, 4학년 수학교과과정을 공부하는 학생

학습목표 : 큰 수의 곱셈과 나눗셈, 혼합 계산

D단계 (4학년) · 초등학교 4, 5학년 교과과정 연산

분모가 같은 분수의 덧셈과 뺄셈, 소수의 덧셈과 뺄셈을 공부하여 초등 4학년 과정 연산을 마무리하고 초등 5학년 연산과정에서 가장 중요한 약수와 배수, 분모가 다른 분수의 덧셈과 뺄셈을 충분히 익힐 수 있도록 하였습니다.

학습대상 : 초등학교 4, 5학년 수학교과과정을 공부하는 학생

학습목표 : 분모가 같은 분수의 덧셈과 뺄셈, 소수의 덧셈과 뺄셈, 분모가 다른 분수의 덧셈과 뺄셈

소마셈 단계별 학습내용

K단계 추천연령 : 5, 6, 7세

단계	K1	K2	K3	K4
권별 주제	10까지의 더하기와 빼기 1	20까지의 더하기와 빼기 1	10까지의 더하기와 빼기 2	20까지의 더하기와 빼기 2
단계	K5	K6	K7	K8
권별 주제	10까지의 더하기와 빼기 3	20까지의 더하기와 빼기 3	20까지의 더하기와 빼기 4	7까지의 가르기와 모으기

P단계 추천연령 : 7세, 1학년

단계	P1	P2	P3	P4
권별 주제	30까지의 더하기와 빼기 5	30까지의 더하기와 빼기 6	30까지의 더하기와 빼기 10	30까지의 더하기와 빼기 9
단계	P5	P6	P7	P8
권별 주제	9까지의 가르기와 모으기	10 가르기와 모으기	10을 이용한 더하기	10을 이용한 빼기

A단계 추천연령 : 1학년

단계	A1	A2	A3	A4
권별 주제	덧셈구구	뺄셈구구	세 수의 덧셈과 뺄셈	□가 있는 덧셈과 뺄셈
단계	A5	A6	A7	A8
권별 주제	(두 자리 수) + (한 자리 수)	(두 자리 수) − (한 자리 수)	두 자리 수의 덧셈과 뺄셈	□가 있는 두 자리 수의 덧셈과 뺄셈

B단계 추천연령 : 2학년

단계	B1	B2	B3	B4
권별 주제	(두 자리 수) + (두 자리 수)	(두 자리 수) − (두 자리 수)	세 자리 수의 덧셈과 뺄셈	덧셈과 뺄셈의 활용
단계	B5	B6	B7	B8
권별 주제	곱셈	곱셈구구	나눗셈	곱셈과 나눗셈의 활용

C단계 추천연령 : 3학년

단계	C1	C2	C3	C4
권별 주제	두 자리 수의 곱셈	두 자리 수의 곱셈과 활용	두 자리 수의 나눗셈	세 자리 수의 나눗셈과 활용
단계	C5	C6	C7	C8
권별 주제	큰 수의 곱셈	큰 수의 나눗셈	혼합 계산	혼합 계산의 활용

D단계 추천연령 : 4학년

단계	D1	D2	D3	D4
권별 주제	분모가 같은 분수의 덧셈과 뺄셈(1)	분모가 같은 분수의 덧셈과 뺄셈(2)	소수의 덧셈과 뺄셈	약수와 배수
단계	D5	D6		
권별 주제	분모가 다른 분수의 덧셈과 뺄셈(1)	분모가 다른 분수의 덧셈과 뺄셈(2)		

구성과 특징

① 수 이야기

생활 속의 수 이야기를 통해 수와 연산의 이해를 돕습니다. 수의 역사나 재미있는 연산 문제를 접하면서 수학이 재미있는 공부가 되도록 합니다.

② 원리 & 연습

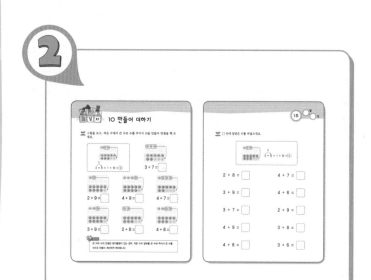

구체물 또는 그림을 통해 연산의 원리를 쉽게 이해하고, 원리의 이해를 바탕으로 연산이 익숙해지도록 연습합니다.

사고력 연산

반복적인 연산에서 나아가 배운 원리를 활용하여 확장된 문제를 해결합니다. 어려운 문제를 싣기보다 다양한 생각을 할 수 있는 내용으로 구성하였습니다.

Drill (보충학습)

주차별 주제에 대한 연습이 더 필요한 경우 보충학습을 활용합니다.

TIP 연산과정의 확인이 필수적인 주제는 Drill의 양을 2배로 담았습니다.

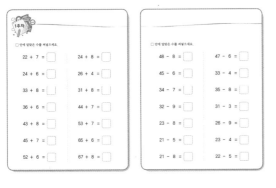

숫자가 도형이 되는 형상수

고대 그리스 시대에 처음으로 수학을 연구하고 가르친 피타고라스와 그의 제자들이 '형상수'라는 것을 만들었어요.

형상수란 점으로 도형을 만들어 나타낸 수인데, 이러한 도형들을 만든 점의 개수를 세면 그 속에서 규칙을 찾을 수 있답니다.

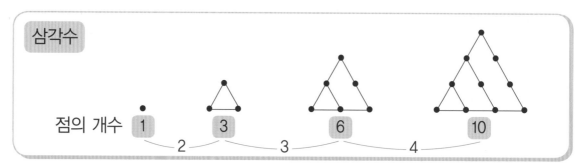

삼각수는 △ 모양으로 표현된 수로 점의 개수가 1, 3, 6, 10 … 이 되어 늘어나는 수가 1씩 커지는 규칙이 있어요.

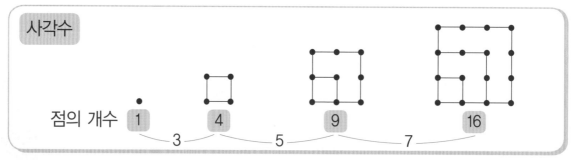

사각수는 □ 모양으로 표현된 수로 점의 개수가 1, 4, 9, 16 … 이 되어 늘어나는 수가 2씩 커지는 규칙이 있어요.

소마셈 B2 – 1주차

받아내림이 있는 뺄셈 (1)

10 빌려 빼기

 그림을 보고 10을 빌려서 뺄셈을 하는 방법을 알아보세요.

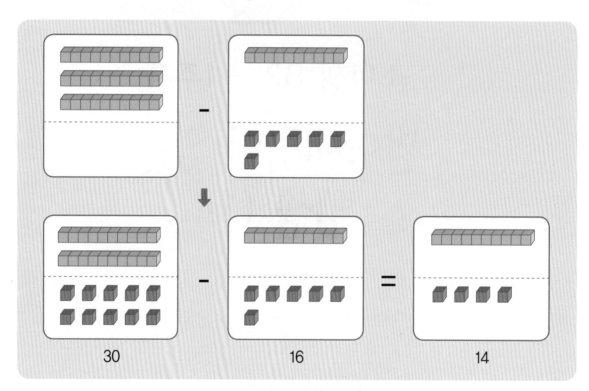

30   16   14

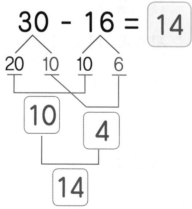

$$30 - 16 = \boxed{14}$$

20   10   10   6

$\boxed{10}$ $\boxed{4}$

$\boxed{14}$

일의 자리끼리의 계산에서 받아내림이 생기면 십의 자리에서 십 모형 1개를 빌려서 낱개 모형 10개로 바꾸어 계산하는 것을 보고, 받아내림을 하는 원리를 알게 합니다.

그림을 보고 10을 빌려서 뺄셈을 해 보세요.

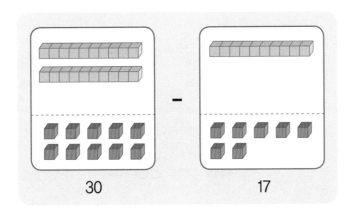

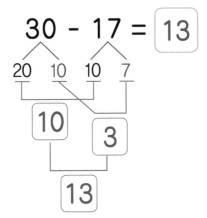

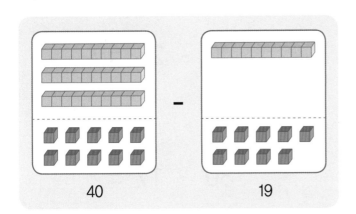

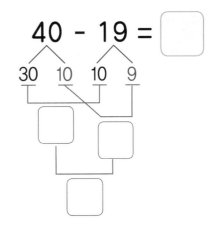

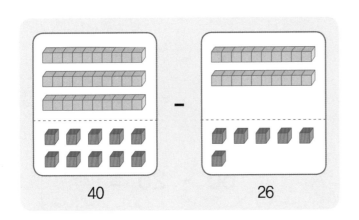

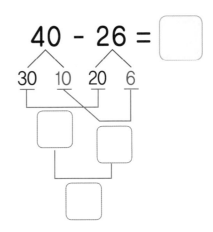

 □ 안에 알맞은 수를 써넣으세요.

50 - 16 = 34

40 10   10 6

40 - 29 = ☐

30 - 18 = ☐

40 - 28 = ☐

50 - 33 = ☐

40 - 26 = ☐

50 - 25 = ☐

30 - 17 = ☐

40 - 15 = ☐

50 - 12 = ☐

60 - 13 = ☐

60 - 25 = ☐

자리를 나누어 빼기

 10을 빌려서 자리를 나누어 뺄셈을 해 보세요.

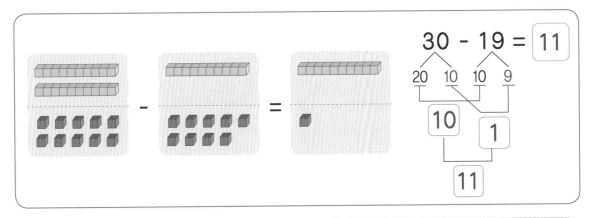

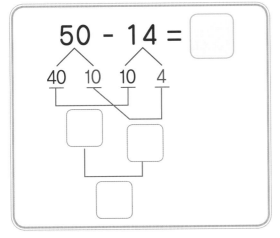

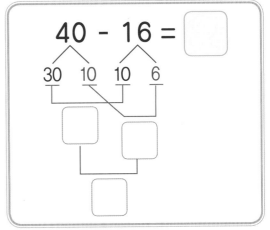

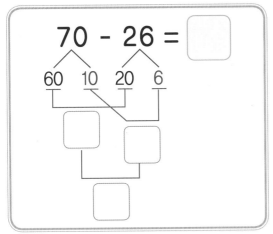

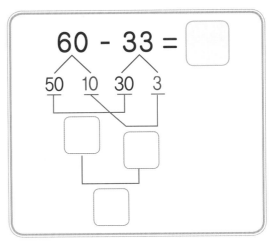

□ 안에 알맞은 수를 써넣으세요.

40 - 21 = 19
30 10   20 1

40 - 18 = ☐

50 - 22 = ☐

30 - 11 = ☐

40 - 31 = ☐

50 - 27 = ☐

60 - 27 = ☐

40 - 19 = ☐

70 - 36 = ☐

60 - 42 = ☐

60 - 24 = ☐

70 - 45 = ☐

3 일 차 세로셈 (1)

🌱 일의 자리, 십의 자리의 위치를 맞추어 □ 안에 알맞은 수를 써넣으세요.

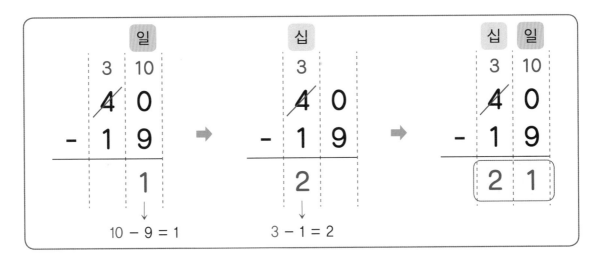

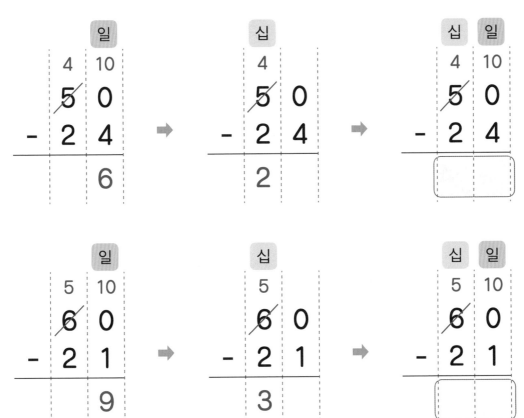

□ 안에 알맞은 수를 써넣으세요.

```
    3 10
    4̸ 0
  -  3 7
  ┌───────┐
  │     3 │
  └───────┘
```

```
    4 0
  -  2 3
  ┌───────┐
  │       │
  └───────┘
```

```
    5 0
  -  3 7
  ┌───────┐
  │       │
  └───────┘
```

```
    6 0
  -  2 5
  ┌───────┐
  │       │
  └───────┘
```

```
    7 0
  -  3 6
  ┌───────┐
  │       │
  └───────┘
```

```
    8 0
  -  3 4
  ┌───────┐
  │       │
  └───────┘
```

```
    5 0
  -  4 3
  ┌───────┐
  │       │
  └───────┘
```

```
    7 0
  -  4 5
  ┌───────┐
  │       │
  └───────┘
```

```
    4 0
  -  1 2
  ┌───────┐
  │       │
  └───────┘
```

```
    9 0
  -  4 1
  ┌───────┐
  │       │
  └───────┘
```

```
    8 0
  -  3 5
  ┌───────┐
  │       │
  └───────┘
```

```
    6 0
  -  4 6
  ┌───────┐
  │       │
  └───────┘
```

세로셈 (2)

 □ 안에 알맞은 수를 써넣으세요.

```
    6 10
    7̸ 0
  -  3 1
  -------
    3 9
```

```
    5 0
  -  1 8
  -------
```

```
    4 0
  -  2 6
  -------
```

```
    6 0
  -  3 4
  -------
```

```
    7 0
  -  5 1
  -------
```

```
    6 0
  -  4 5
  -------
```

```
    8 0
  -  6 6
  -------
```

```
    7 0
  -  4 4
  -------
```

```
    6 0
  -  3 4
  -------
```

```
    5 0
  -  3 2
  -------
```

```
    8 0
  -  1 7
  -------
```

```
    9 0
  -  5 3
  -------
```

올바른 계산 결과를 찾아 선을 그어 보세요.

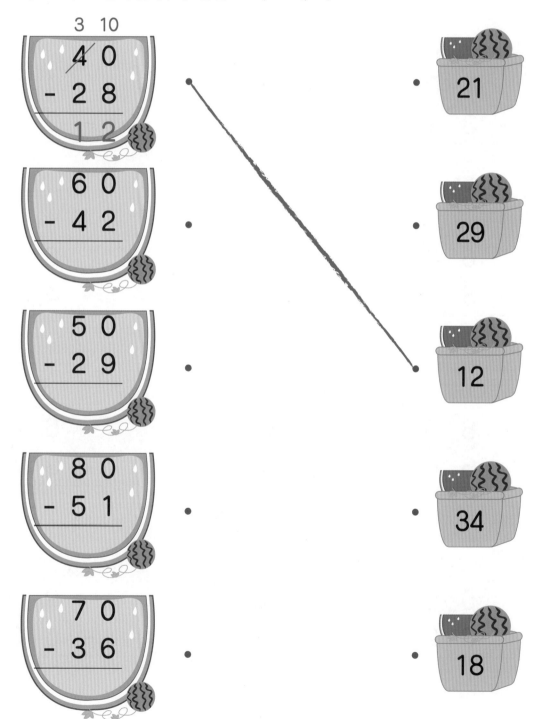

5 일 차 문장제

 이야기를 읽고, 다희의 차례가 되려면 몇 명이 더 표를 사면 되는지 구하세요.

> 다희는 주말에 친구들과 영화를 보러 영화관에 갔습니다.
> 영화표를 사기 위해 줄을 서려고 하니 기다리는 사람이 많아 보였습니다.
> "내 앞에 몇 명이나 기다리는지 세어볼까?"
> 다희 앞에 줄을 선 사람은 40명이었습니다.
> "조금만 더 기다리면 되겠지?"
> 친구들과 잠시 이야기를 하는 사이 18명이 표를 샀습니다.
> 다희의 차례가 되려면 앞으로 몇 명이 더 표를 사면 될까요?
>
> 식 : 40 − 18 = 22 ⬚ 명

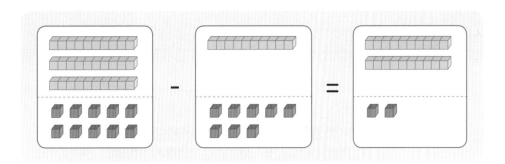

 다음을 읽고 알맞은 **뺄셈식**을 쓰고, 답을 구하세요.

버스에 30명의 사람이 타고 있습니다. 다음 정류소에서 더 탄 사람은 없고
13명이 내렸다면 버스에 타고 있는 사람은 몇 명일까요?

식 : _____   ☐ 명

수정이네 반 학생들 40명이 동물원으로 소풍을 갔습니다. 그중 24명이
남학생이라면 여학생은 몇 명일까요?

식 : _____   ☐ 명

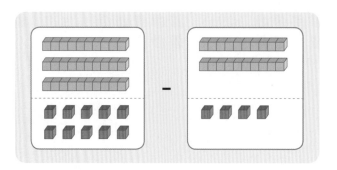

다음을 읽고 알맞은 뺄셈식을 쓰고, 답을 구하세요.

기준이는 구슬 30개를 가지고 있습니다. 그중 15개를 동생에게 주었다면 기준이에게 남은 구슬은 몇 개일까요?

식 : _____   개

공원에 바지를 입은 사람과 치마를 입은 사람이 모두 50명 있습니다. 그중 37명이 치마를 입었다면 바지를 입은 사람은 몇 명일까요?

식 : _____   명

수경이네 할머니는 70살입니다. 수경이는 할머니보다 48살이 적다면 수경이는 몇 살일까요?

식 : _____   살

 다음을 읽고 알맞은 뺄셈식을 쓰고, 답을 구하세요.

선주는 사탕 40개를 가지고 있습니다. 친구들에게 하나씩 나누어 주었더니 29개가 남았습니다. 선주가 사탕을 나누어준 친구들은 몇 명일까요?

식 : _____   ☐ 명

바구니에 귤이 60개 있었는데 일주일 동안 32개를 먹었습니다. 바구니에 남은 귤은 몇 개일까요?

식 : _____   ☐ 개

꽃밭에 코스모스와 해바라기가 80송이 피어있습니다. 그중 56송이가 코스모스라면 해바라기는 몇 송이일까요?

식 : _____   ☐ 송이

소마셈 B2 – 2주차

받아내림이 있는 뺄셈 (2)

10 빌려 빼기

 그림을 보고 10을 빌려서 뺄셈을 하는 방법을 알아보세요.

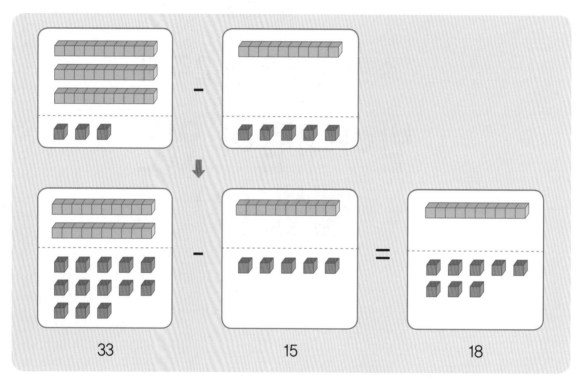

$$33 - 15 = \boxed{18}$$

20 13   10   5

$\boxed{10}$ $\boxed{8}$

$\boxed{18}$

 TIP

일의 자리끼리의 계산에서 받아내림이 생기면 십의 자리에서 십 모형 1개를 빌려서 낱개 모형 10개로 바꾸어 계산하는 것을 보고, 받아내림을 하는 원리를 알게 합니다.

그림을 보고 10을 빌려서 뺄셈을 해 보세요.

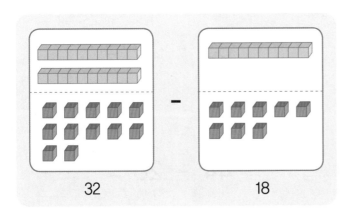

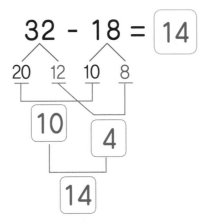

$$32 - 18 = \boxed{14}$$

20 12 10 8

$\boxed{10}$ $\boxed{4}$

$\boxed{14}$

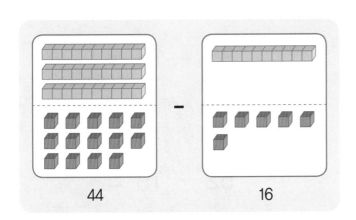

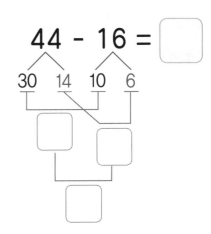

$$44 - 16 = \boxed{}$$

30 14 10 6

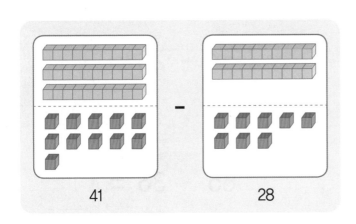

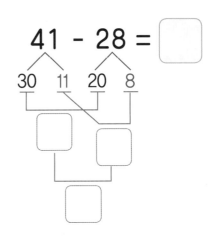

$$41 - 28 = \boxed{}$$

30 11 20 8

 □ 안에 알맞은 수를 써넣으세요.

34 - 17 = 17

20 14 10 7

33 - 19 =

42 - 16 =

44 - 28 =

51 - 35 =

35 - 16 =

46 - 27 =

52 - 19 =

44 - 15 =

54 - 26 =

62 - 27 =

65 - 36 =

자리를 나누어 빼기

 10을 빌려서 자리를 나누어 뺄셈을 해 보세요.

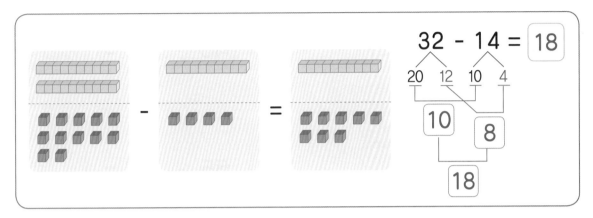

$$32 - 14 = \boxed{18}$$

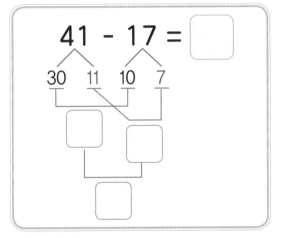

$$41 - 17 = \boxed{}$$

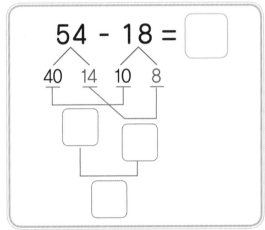

$$54 - 18 = \boxed{}$$

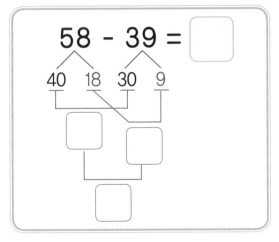

$$58 - 39 = \boxed{}$$

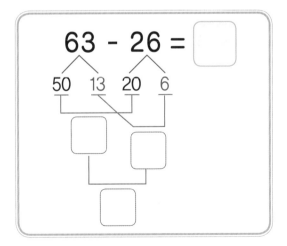

$$63 - 26 = \boxed{}$$

□ 안에 알맞은 수를 써넣으세요.

45 - 18 = 27
30 15 10 8

43 - 18 =

54 - 17 =

55 - 27 =

41 - 16 =

62 - 25 =

53 - 35 =

43 - 27 =

64 - 28 =

71 - 33 =

65 - 36 =

74 - 47 =

세로셈 (1)

🌱 일의 자리, 십의 자리의 위치를 맞추어 □ 안에 알맞은 수를 써넣으세요.

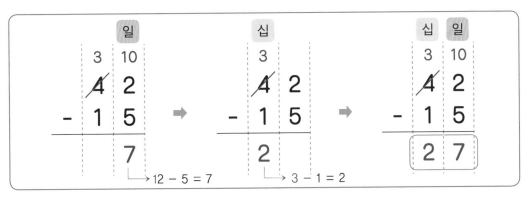

	일		십		십	일
3	10		3		3	10

일
```
    3  10
    4̸  2
 -  1  5
 ─────────
       7
```
↳ 12 - 5 = 7

십
```
    3
    4̸  2
 -  1  5
 ─────────
    2
```
↳ 3 - 1 = 2

십 일
```
    3  10
    4̸  2
 -  1  5
 ─────────
    2  7
```

일
```
    3  10
    4̸  6
 -  2  9
 ─────────
       7
```

십
```
    3
    4̸  6
 -  2  9
 ─────────
    1
```

십 일
```
    3  10
    4̸  6
 -  2  9
 ─────────
```

일
```
    4  10
    5̸  3
 -  3  8
 ─────────
       5
```

십
```
    4
    5̸  3
 -  3  8
 ─────────
    1
```

십 일
```
    4  10
    5̸  3
 -  3  8
 ─────────
```

TIP

42 - 15와 같이 받아내림이 있는 일의 자리 수 계산을 할 때, 십의 자리에서 빌려온 10으로 빼는 수를 먼저 빼고, 남은 수를 더하는 것이 쉽습니다. (12 - 5 = 10 - 5 + 2 = 7)

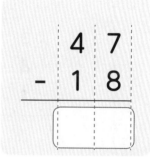

 □ 안에 알맞은 수를 써넣으세요.

```
   3  10
   4̶  4
 -  1  8
 ─────────
   2  6
```

```
   3  1
 - 2  2
 ─────────
```

```
   4  7
 - 1  8
 ─────────
```

```
   5  2
 - 2  6
 ─────────
```

```
   4  6
 - 2  9
 ─────────
```

```
   6  2
 - 1  4
 ─────────
```

```
   7  5
 - 1  8
 ─────────
```

```
   6  3
 - 2  7
 ─────────
```

```
   5  4
 - 3  9
 ─────────
```

```
   6  1
 - 3  3
 ─────────
```

```
   5  3
 - 3  8
 ─────────
```

```
   7  1
 - 4  5
 ─────────
```

세로셈 (2)

 □ 안에 알맞은 수를 써넣으세요.

```
  6  10
  7̸  1
-  3  5
─────────
  3  6
```

```
  5  5
-  1  7
─────────
```

```
  4  2
-  2  8
─────────
```

```
  6  1
-  2  6
─────────
```

```
  7  4
-  4  7
─────────
```

```
  6  6
-  3  8
─────────
```

```
  7  7
-  4  8
─────────
```

```
  8  3
-  4  9
─────────
```

```
  8  4
-  3  8
─────────
```

```
  6  2
-  3  5
─────────
```

```
  9  3
-  1  6
─────────
```

```
  9  2
-  5  3
─────────
```

올바른 계산 결과를 찾아 선을 그어 보세요.

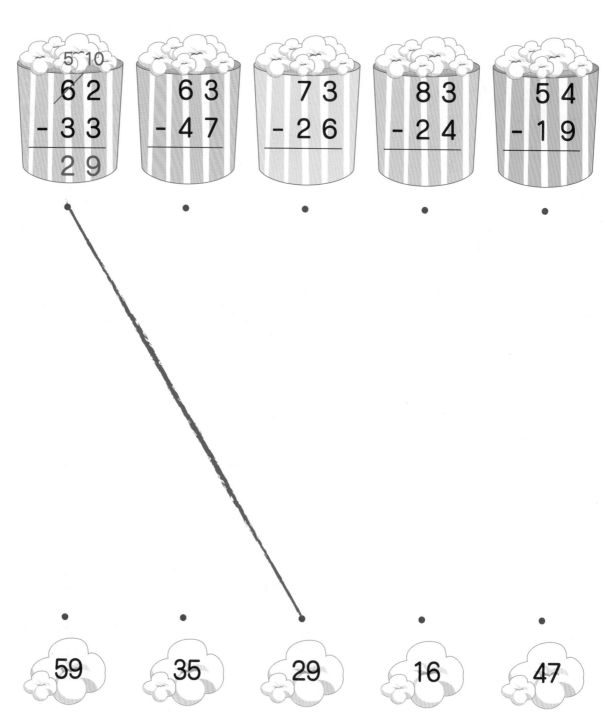

$$\begin{array}{r} 5\ 10 \\ 6\,2 \\ -\ 3\,3 \\ \hline 2\,9 \end{array}$$

$$\begin{array}{r} 6\,3 \\ -\ 4\,7 \\ \hline \end{array}$$

$$\begin{array}{r} 7\,3 \\ -\ 2\,6 \\ \hline \end{array}$$

$$\begin{array}{r} 8\,3 \\ -\ 2\,4 \\ \hline \end{array}$$

$$\begin{array}{r} 5\,4 \\ -\ 1\,9 \\ \hline \end{array}$$

59   35   29   16   47

 이야기를 읽고, 진수가 주운 밤의 개수를 구하세요.

형수와 동생 진수는 산에 가서 밤을 줍기로 했습니다.

산에는 탐스러운 알밤이 곳곳에 많이 있었습니다.

"진수야. 누가 더 많이 줍는지 형이랑 시합할까?"

말이 끝나자마자 진수는 밤을 줍기 시작했습니다. 형수도 질 수 없어 열심히 밤을 주웠습니다.

한 시간이 지나 둘은 서로가 주운 밤의 개수를 세어보았습니다.

형수는 42개, 진수는 형수보다 23개 적게 주웠습니다.

진수는 밤을 몇 개 주웠을까요?

식 : _____ ⬜ 개

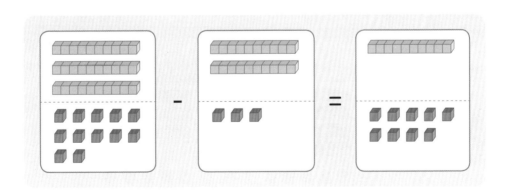

 다음을 읽고 알맞은 **뺄셈식**을 쓰고, 답을 구하세요.

연경이는 구슬 44개를 가지고 있습니다. 준수는 연경이보다 구슬을 27개 적게 가지고 있다면 준수가 가진 구슬은 몇 개일까요?

식 :

개

도서관에 51명의 학생들이 책을 보고 있습니다. 몇 시간 후 39명이 집으로 돌아갔다면 도서관에 남아 책을 보는 학생들은 몇 명일까요?

식 :

명

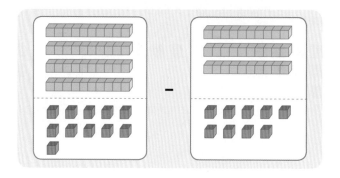

다음을 읽고 알맞은 뺄셈식을 쓰고, 답을 구하세요.

주머니 안에 빨간색 구슬과 초록색 구슬이 모두 41개 있습니다. 그중 13개가 초록색 구슬이라면 빨간색 구슬은 몇 개일까요?

식 : _____   [   ] 개

연못에 거위 63마리가 있습니다. 그중 39마리가 연못 밖으로 나갔다면 연못 안에 남아있는 거위는 몇 마리일까요?

식 : _____   [   ] 마리

성수의 할아버지는 72살입니다. 아빠는 할아버지보다 34살이 적다면 아빠는 몇 살일까요?

식 : _____   [   ] 살

 다음을 읽고 알맞은 뺄셈식을 쓰고, 답을 구하세요.

지훈이는 일주일 동안 수학 문제 56개를 풀었습니다. 채점을 한 결과 18개를 틀렸다면 맞은 문제는 몇 개일까요?

식 : _____   개

농장에 42마리의 소를 키우고 있습니다. 그중 수컷이 24마리라면 암컷은 몇 마리일까요?

식 : _____   마리

소마 초등학교에서 85명의 학생들이 소풍을 가기로 했습니다. 그중 26명이 아파서 결석을 했다면 소풍을 간 학생들은 몇 명일까요?

식 : _____   명

소마셈 B2 - 3주차

두 자리 수의 뺄셈

여러 가지 방법으로 계산하기

 □ 안에 알맞은 수를 써넣어 뺄셈을 해 보세요.

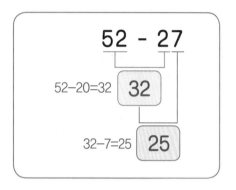

52 - 27

52-20=32   **32**

32-7=25   **25**

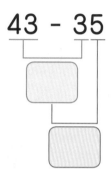

43 - 35

54 - 19
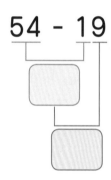

64 - 28
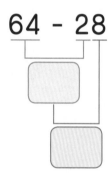

61 - 43

73 - 36

 TIP

10을 빌려서 일의 자리부터 계산하는 기본적인 뺄셈 방법 외에 여러 가지 방법들을 접해 보면서 다양한 사고를 할 수 있도록 합니다.

□ 안에 알맞은 수를 써넣어 뺄셈을 해 보세요.

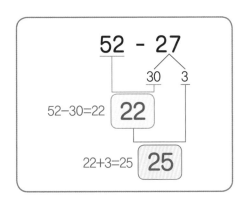

52 - 27

30   3

52-30=22 **22**

22+3=25 **25**

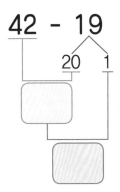

42 - 19

20   1

57 - 28

30   2

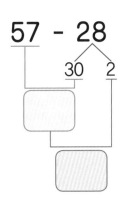

61 - 37

40   3

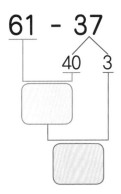

74 - 28

30

44

65 - 29

30

35

사다리 세로셈

 뺄셈을 하여 빈칸에 알맞은 수를 써넣으세요.

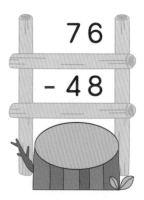

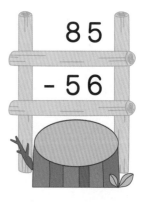

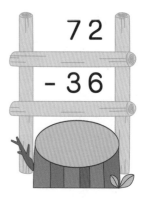

뺄셈을 하여 빈칸에 알맞은 수를 써넣으세요.

66
- 48

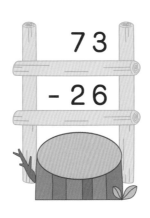

73
- 26

55
- 18

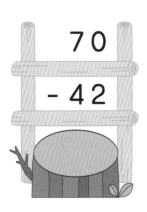

70
- 42

61
- 33

84
- 66

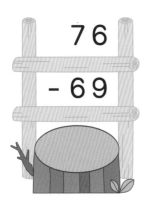

76
- 69

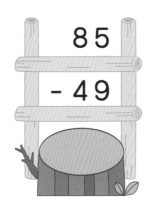

85
- 49

90
- 37

벌레 먹은 뺄셈

 빈칸에 알맞은 숫자를 써넣으세요.

□ 2 − 1 5 ———— 1 7	□ 1 − 1 4 ———— 3 □	7 2 − □ 4 ———— 4 □
6 □ − 3 8 ———— □ 4	5 □ − □ 7 ———— 1 4	□ 4 − 2 5 ———— 3 □
4 □ − □ 6 ———— 2 4	8 □ − 2 8 ———— □ 3	7 4 − □ 8 ———— 5 □
6 3 − □ 9 ———— 3 □	9 □ − 2 4 ———— □ 8	8 □ − □ 2 ———— 5 8

빈칸에 알맞은 숫자를 써넣으세요.

```
      3          5 2            1
 -  1 4       -   8       -  1 5
 ───────      ───────      ───────
    6            2            4
```

```
    6            4            8
 -    7       - 2 5       - 3 6
 ───────      ───────      ───────
  3 3            1              4
```

```
    7          6 3            4
 -  5 5       -   4       -    6
 ───────      ───────      ───────
      7        3            1 5
```

```
    9            8          7 3
 -  5 4       -   3       -    7
 ───────      ───────      ───────
      9        1 8            4
```

뺄셈 퍼즐

 사다리를 타고 내려와 □ 안에 알맞은 수를 써넣으세요.

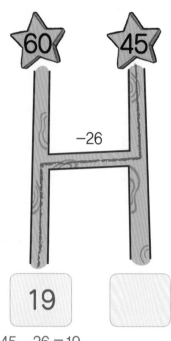

45 − 26 = 19

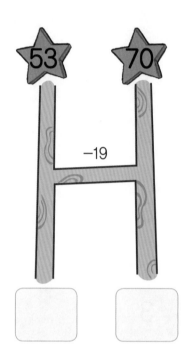

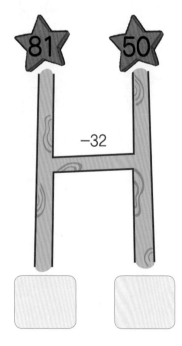

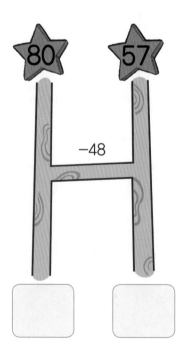

🌱 올바른 계산 결과가 되도록 길을 그려 보세요.

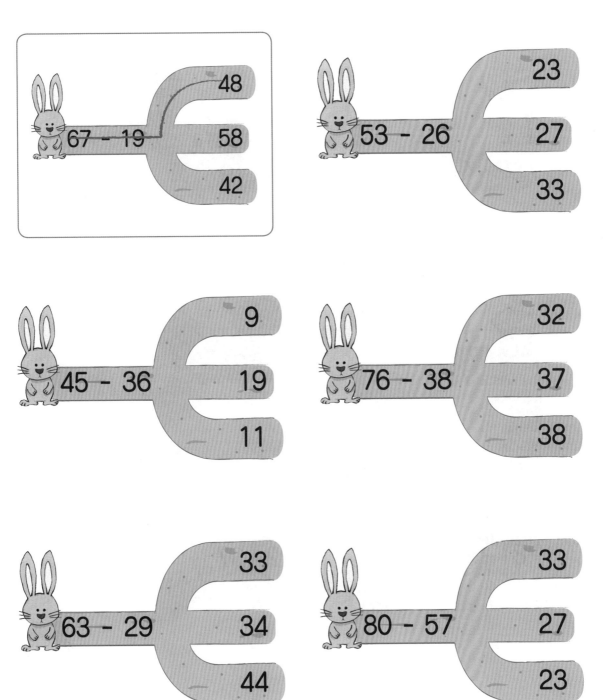

올바른 계산 결과가 되도록 길을 그려 보세요.

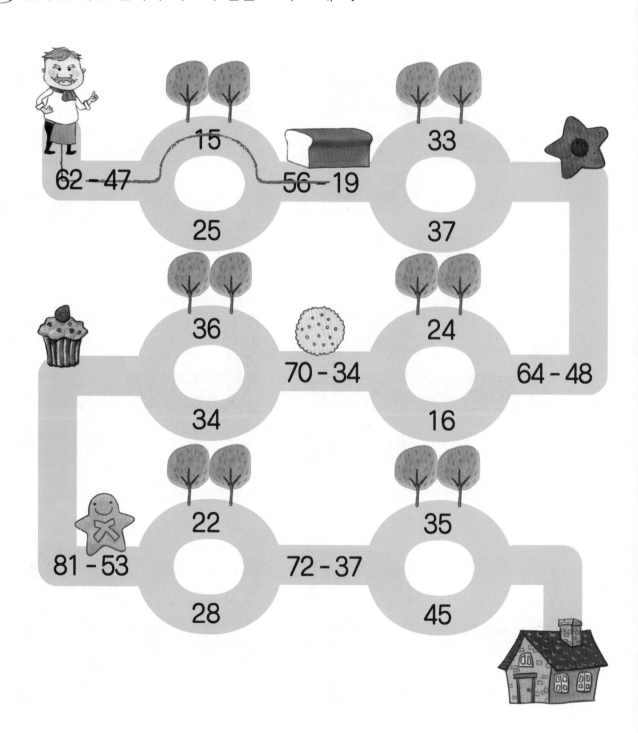

문장제

 이야기를 읽고, 과일가게에 남은 자두의 개수를 구하세요.

예리네 집 앞에는 과일가게가 있습니다.

요즘은 특히 자두가 잘 팔려서 과일가게 아저씨는 오늘 자두 45개를 준비했습니다.

그런데 어찌 된 일인지 오늘은 손님이 없어서 자두를 17개 밖에 팔지 못했습니다. 아마도 갑작스럽게 내린 비 때문인가 봅니다.

과일가게에 남은 자두는 몇 개일까요?

식 :

☐ 개

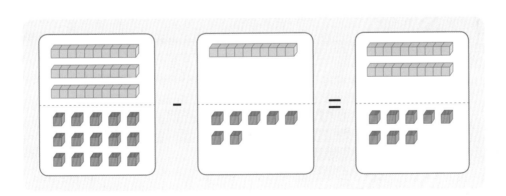

 다음을 읽고 알맞은 뺄셈식을 쓰고, 답을 구하세요.

바구니에 밤과 도토리가 있습니다. 밤은 43개 있고, 도토리는 밤보다 24개 적게 있다면 도토리는 몇 개일까요?

식 : _____ [ ] 개

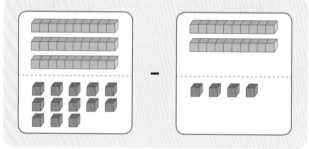

수지와 민지가 줄넘기를 했습니다. 수지는 50번을 했고, 민지는 수지보다 28번을 적게 했다면 민지는 줄넘기를 몇 번 했을까요?

식 : _____ [ ] 번

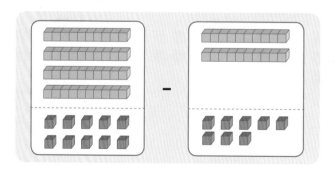

다음을 읽고 알맞은 뺄셈식을 쓰고, 답을 구하세요.

가게에 음료수가 50개 있습니다. 오늘 15개를 팔았다면 남은 음료수는 몇 개일까요?

식 : _____

[ ] 개

현지는 빨간색 색종이와 노란색 색종이를 모두 53장 가지고 있습니다. 그중 노란색 색종이 37장을 모두 써 버렸다면 남은 빨간색 색종이는 몇 장일까요?

식 : _____

[ ] 장

선영이는 우표 62장을 모았습니다. 그중 18장을 잃어버렸다면 선영이에게 남은 우표는 몇 장일까요?

식 : _____

[ ] 장

 다음을 읽고 알맞은 **뺄셈식**을 쓰고, 답을 구하세요.

연못 안에 개구리와 올챙이가 54마리 있습니다. 올챙이가 26마리 있다면 개구리는 몇 마리일까요?

식 : _____

마리

검은색 바둑돌이 75개 있고, 흰색 바둑돌은 검은색 바둑돌보다 38개 적게 있다면 흰색 바둑돌은 몇 개일까요?

식 : _____

개

복숭아나무에 복숭아 88개가 있습니다. 바람이 심하게 불어 29개가 나무에서 떨어졌다면 나무에 남은 복숭아는 몇 개일까요?

식 : _____

개

소마셈 B2 - 4주차

세 수의 덧셈과 뺄셈

세 수의 덧셈

 □ 안에 알맞은 수를 써넣어 차례로 계산하세요.

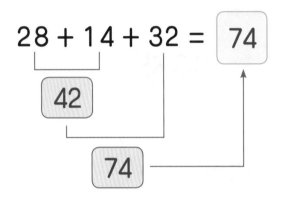

$$28 + 14 + 32 = \boxed{74}$$

$\boxed{42}$

$\boxed{74}$

$$17 + 45 + 21 = \boxed{}$$

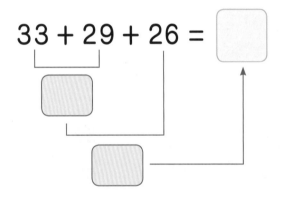

$$33 + 29 + 26 = \boxed{}$$

$$27 + 44 + 25 = \boxed{}$$

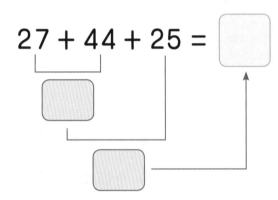

$$25 + 48 + 19 = \boxed{}$$

$$46 + 16 + 33 = \boxed{}$$

□ 안에 알맞은 수를 써넣으세요.

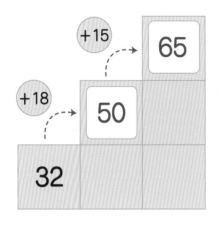

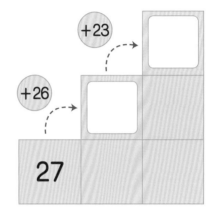

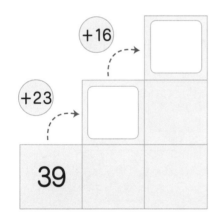

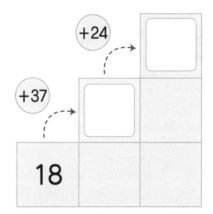

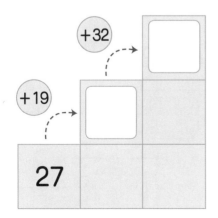

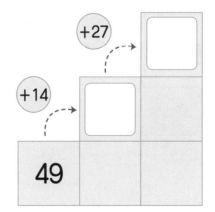

세 수의 뺄셈

 □ 안에 알맞은 수를 써넣어 차례로 계산하세요.

52 - 16 - 25 = [11]

36

11

68 - 19 - 33 = [ ]

85 - 28 - 29 = [ ]

57 - 19 - 16 = [ ]

73 - 34 - 15 = [ ]

64 - 26 - 27 = [ ]

빈칸에 알맞은 수를 써넣으세요.

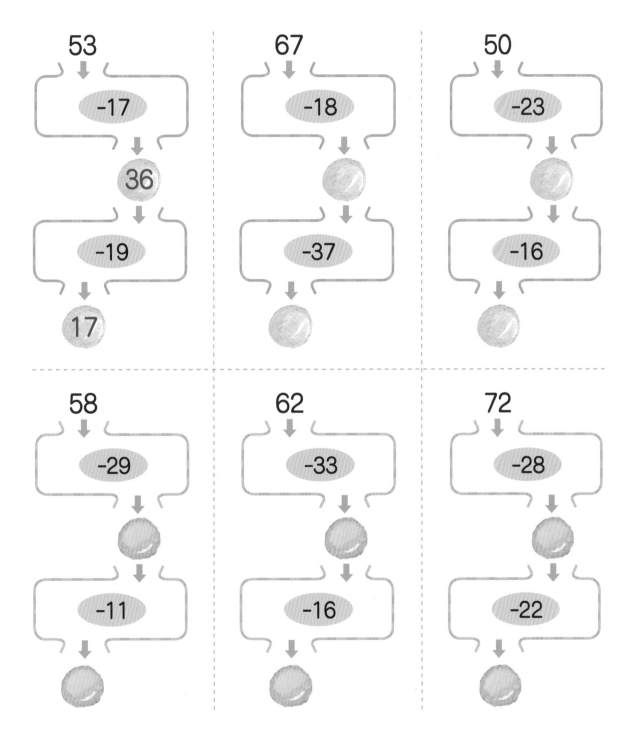

53
-17
36
-19
17

67
-18
-37

50
-23
-16

58
-29
-11

62
-33
-16

72
-28
-22

세 수의 덧셈과 뺄셈

 □ 안에 알맞은 수를 써넣어 차례로 계산하세요.

$25 + 47 - 19 =$ 53

72

53

$43 + 17 - 26 =$

$46 + 28 - 53 =$

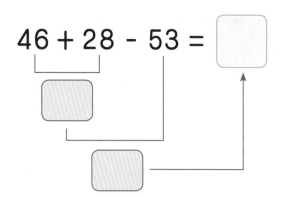

$52 - 33 + 17 =$

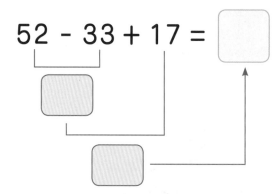

$61 - 22 + 44 =$

$46 - 18 + 59 =$

월 일

빈칸에 알맞은 수를 써넣으세요.

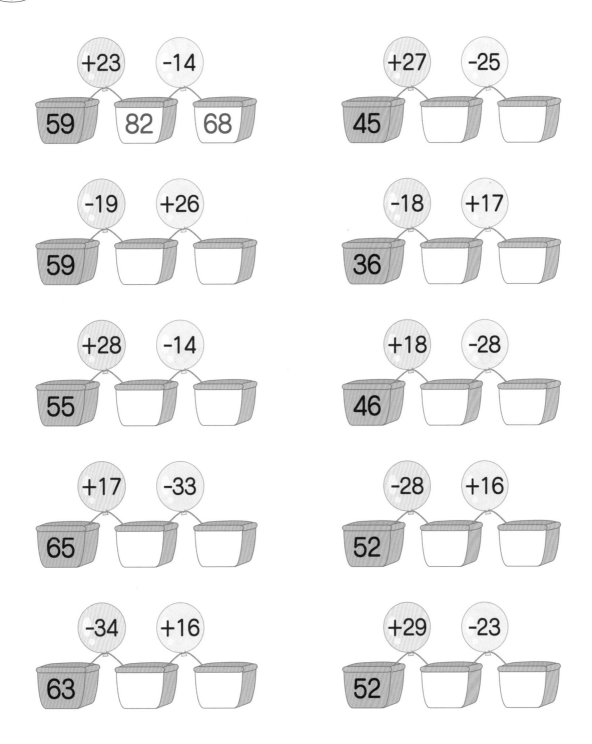

덧셈, 뺄셈 퍼즐

🌱 ○ 안의 수는 더하고, ◇ 안의 수는 빼서 빈칸에 알맞은 수를 써넣으세요.

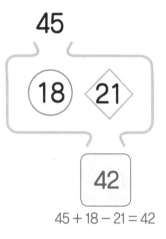

$$45 + 18 - 21 = 42$$

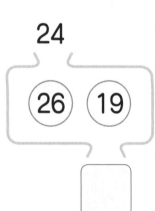

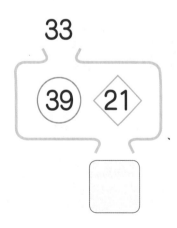

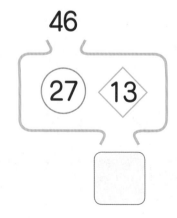

○ 안의 수는 더하고, ◇ 안의 수는 빼서 빈칸에 알맞은 수를 써넣으세요.

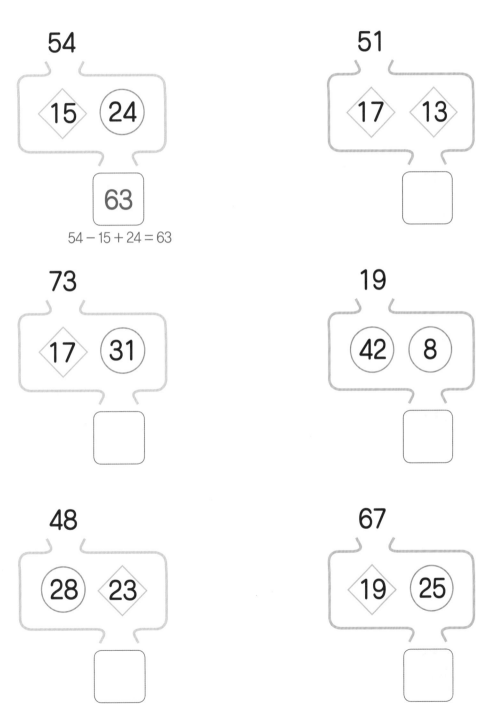

54

◇ 15 ○ 24

63

54 − 15 + 24 = 63

51

◇ 17 ◇ 13

73

◇ 17 ○ 31

19

○ 42 ○ 8

48

○ 28 ◇ 23

67

◇ 19 ○ 25

 올바른 계산 결과를 찾아 선을 그어 보세요.

$34 + 18 + 25 =$ $\boxed{77}$

$46 + 45 - 16 =$ $\boxed{}$

 75

 76

 77

$72 - 28 - 16 =$ $\boxed{}$

$56 - 17 + 39 =$ $\boxed{}$

 28

 58

 78

$18 + 29 + 25 =$ $\boxed{}$

$81 - 19 - 15 =$ $\boxed{}$

 47

 72

74

문장제

 이야기를 읽고, 운동장에 있는 학생의 수를 구하세요.

점심시간, 학교 운동장에 학생 64명이 있습니다. 승연이도 친구들과 공놀이를 하며 놀고 있었는데 선생님께서 다가와 말씀하셨습니다.

"승연아. 곧 수업이 시작되니까 우리 반 친구들 좀 모두 데리고 교실로 들어오렴."

운동장에 있던 승연이네 반 친구들 25명은 교실로 들어가고, 수업 종소리와 함께 체육수업이 있는 다른 반 학생 16명이 운동장으로 나왔습니다.

지금 운동장에 있는 학생은 몇 명일까요?

식 : 64 − 25 + 16 = 55   ☐ 명

 다음을 읽고 알맞은 식을 쓰고, 답을 구하세요.

귤이 73개 있습니다. 그중 34개를 먹었는데, 엄마가 15개를 더 사오셨습니다. 지금 귤은 모두 몇 개일까요?

식 : _____   개

버스에 56명이 타고 있습니다. 첫 번째 정류장에서 17명이 내리고, 두 번째 정류장에서 19명이 내렸습니다. 지금 버스에 타고 있는 사람은 몇 명일까요?

식 : _____   명

다음을 읽고 알맞은 식을 쓰고, 답을 구하세요.

지하철에 54명의 사람이 타고 있습니다. 다음 역에서 19명이 타고 13명이 내렸습니다. 지금 지하철에 타고 있는 사람은 몇 명일까요?

식 : _____ ▢ 명

지붕 위에 참새 37마리와 비둘기 17마리가 앉아있습니다. 비둘기 15마리가 더 날아와 앉았다면 지붕 위에 있는 참새와 비둘기는 모두 몇 마리일까요?

식 : _____ ▢ 마리

접시에 밤이 43개 있습니다. 형이 18개, 동생이 14개를 먹었다면 접시에 남은 밤은 몇 개일까요?

식 : _____ ▢ 개

 다음을 읽고 알맞은 식을 쓰고, 답을 구하세요.

승기가 어제 종이학 36개를 만들었습니다. 오늘은 27개를 더 만들었는데, 그중 16개를 동생에게 주었습니다. 지금 승기가 가진 종이학은 몇 개일까요?

식 : _____   개

과일가게에 과일이 74개 있습니다. 자두가 27개, 참외가 18개 있고, 나머지는 포도입니다. 포도는 몇 개일까요?

식 : _____   개

현주는 구슬 29개를 가지고 있습니다. 정미는 현주보다 33개를 더 가지고 있고, 준기는 정미보다 14개 적게 가지고 있습니다. 준기가 가진 구슬은 몇 개일까요?

식 : _____   개

보충학습

Drill

받아내림이 있는
뺄셈 (1)

□ 안에 알맞은 수를 써넣으세요.

```
    2 0          3 0          5 0          4 0
  - 1 2        - 1 7        - 2 6        - 1 8
  ┌─────┐      ┌─────┐      ┌─────┐      ┌─────┐
  └─────┘      └─────┘      └─────┘      └─────┘


    4 0          4 0          6 0          3 0
  - 2 6        - 1 9        - 2 6        - 1 4
  ┌─────┐      ┌─────┐      ┌─────┐      ┌─────┐
  └─────┘      └─────┘      └─────┘      └─────┘


    5 0          2 0          4 0          5 0
  - 3 2        - 1 3        - 2 6        - 2 9
  ┌─────┐      ┌─────┐      ┌─────┐      ┌─────┐
  └─────┘      └─────┘      └─────┘      └─────┘


    6 0          3 0          4 0          7 0
  - 3 7        - 1 9        - 1 1        - 3 1
  ┌─────┐      ┌─────┐      ┌─────┐      ┌─────┐
  └─────┘      └─────┘      └─────┘      └─────┘
```

□ 안에 알맞은 수를 써넣으세요.

5 0	4 0	3 0	6 0
− 2 6	− 3 4	− 1 6	− 4 9
▢	▢	▢	▢

5 0	7 0	6 0	5 0
− 1 5	− 2 5	− 2 2	− 3 5
▢	▢	▢	▢

6 0	6 0	4 0	2 0
− 3 4	− 4 2	− 2 2	− 1 1
▢	▢	▢	▢

3 0	8 0	7 0	4 0
− 1 5	− 5 4	− 2 6	− 2 8
▢	▢	▢	▢

□ 안에 알맞은 수를 써넣으세요.

6 0 − 2 6	4 0 − 3 4	4 0 − 2 6	3 0 − 1 4
5 0 − 3 6	8 0 − 4 5	6 0 − 4 2	6 0 − 1 5
6 0 − 2 3	5 0 − 2 5	4 0 − 3 6	5 0 − 1 9
3 0 − 1 7	9 0 − 5 4	6 0 − 1 6	4 0 − 2 8

□ 안에 알맞은 수를 써넣으세요.

$$\begin{array}{r} 7\ 0 \\ -\ 4\ 6 \\ \hline \end{array}$$

$$\begin{array}{r} 6\ 0 \\ -\ 2\ 4 \\ \hline \end{array}$$

$$\begin{array}{r} 4\ 0 \\ -\ 1\ 3 \\ \hline \end{array}$$

$$\begin{array}{r} 4\ 0 \\ -\ 2\ 9 \\ \hline \end{array}$$

$$\begin{array}{r} 5\ 0 \\ -\ 3\ 1 \\ \hline \end{array}$$

$$\begin{array}{r} 9\ 0 \\ -\ 3\ 5 \\ \hline \end{array}$$

$$\begin{array}{r} 8\ 0 \\ -\ 2\ 2 \\ \hline \end{array}$$

$$\begin{array}{r} 5\ 0 \\ -\ 1\ 5 \\ \hline \end{array}$$

$$\begin{array}{r} 6\ 0 \\ -\ 4\ 3 \\ \hline \end{array}$$

$$\begin{array}{r} 9\ 0 \\ -\ 4\ 2 \\ \hline \end{array}$$

$$\begin{array}{r} 4\ 0 \\ -\ 2\ 8 \\ \hline \end{array}$$

$$\begin{array}{r} 8\ 0 \\ -\ 6\ 9 \\ \hline \end{array}$$

$$\begin{array}{r} 4\ 0 \\ -\ 2\ 1 \\ \hline \end{array}$$

$$\begin{array}{r} 9\ 0 \\ -\ 5\ 4 \\ \hline \end{array}$$

$$\begin{array}{r} 7\ 0 \\ -\ 4\ 7 \\ \hline \end{array}$$

$$\begin{array}{r} 5\ 0 \\ -\ 2\ 9 \\ \hline \end{array}$$

□ 안에 알맞은 수를 써넣으세요.

$$\begin{array}{r} 4\ 0 \\ -\ 1\ 1 \\ \hline \end{array}$$ $$\begin{array}{r} 3\ 0 \\ -\ 1\ 8 \\ \hline \end{array}$$ $$\begin{array}{r} 2\ 0 \\ -\ 1\ 7 \\ \hline \end{array}$$ $$\begin{array}{r} 5\ 0 \\ -\ 2\ 4 \\ \hline \end{array}$$

$$\begin{array}{r} 4\ 0 \\ -\ 2\ 5 \\ \hline \end{array}$$ $$\begin{array}{r} 5\ 0 \\ -\ 1\ 3 \\ \hline \end{array}$$ $$\begin{array}{r} 4\ 0 \\ -\ 2\ 7 \\ \hline \end{array}$$ $$\begin{array}{r} 6\ 0 \\ -\ 3\ 9 \\ \hline \end{array}$$

$$\begin{array}{r} 5\ 0 \\ -\ 1\ 1 \\ \hline \end{array}$$ $$\begin{array}{r} 6\ 0 \\ -\ 2\ 5 \\ \hline \end{array}$$ $$\begin{array}{r} 5\ 0 \\ -\ 2\ 8 \\ \hline \end{array}$$ $$\begin{array}{r} 4\ 0 \\ -\ 1\ 9 \\ \hline \end{array}$$

$$\begin{array}{r} 6\ 0 \\ -\ 3\ 9 \\ \hline \end{array}$$ $$\begin{array}{r} 5\ 0 \\ -\ 2\ 4 \\ \hline \end{array}$$ $$\begin{array}{r} 4\ 0 \\ -\ 1\ 9 \\ \hline \end{array}$$ $$\begin{array}{r} 7\ 0 \\ -\ 2\ 8 \\ \hline \end{array}$$

□ 안에 알맞은 수를 써넣으세요.

```
   5 0        4 0        6 0        3 0
 - 2 6      - 2 8      - 3 4      - 1 9
 ───────    ───────    ───────    ───────
 [      ]    [      ]    [      ]    [      ]
```

```
   4 0        7 0        6 0        6 0
 - 2 8      - 2 1      - 4 3      - 2 9
 ───────    ───────    ───────    ───────
 [      ]    [      ]    [      ]    [      ]
```

```
   5 0        4 0        5 0        3 0
 - 2 8      - 2 4      - 3 5      - 1 1
 ───────    ───────    ───────    ───────
 [      ]    [      ]    [      ]    [      ]
```

```
   2 0        3 0        5 0        6 0
 - 1 3      - 2 4      - 1 8      - 3 7
 ───────    ───────    ───────    ───────
 [      ]    [      ]    [      ]    [      ]
```

□ 안에 알맞은 수를 써넣으세요.

$$\begin{array}{r} 6\;0 \\ -\;3\;8 \\ \hline \end{array}$$

$$\begin{array}{r} 5\;0 \\ -\;2\;4 \\ \hline \end{array}$$

$$\begin{array}{r} 7\;0 \\ -\;4\;1 \\ \hline \end{array}$$

$$\begin{array}{r} 8\;0 \\ -\;2\;7 \\ \hline \end{array}$$

$$\begin{array}{r} 3\;0 \\ -\;1\;9 \\ \hline \end{array}$$

$$\begin{array}{r} 4\;0 \\ -\;2\;7 \\ \hline \end{array}$$

$$\begin{array}{r} 6\;0 \\ -\;3\;5 \\ \hline \end{array}$$

$$\begin{array}{r} 5\;0 \\ -\;1\;7 \\ \hline \end{array}$$

$$\begin{array}{r} 6\;0 \\ -\;2\;4 \\ \hline \end{array}$$

$$\begin{array}{r} 4\;0 \\ -\;3\;5 \\ \hline \end{array}$$

$$\begin{array}{r} 5\;0 \\ -\;2\;9 \\ \hline \end{array}$$

$$\begin{array}{r} 7\;0 \\ -\;3\;2 \\ \hline \end{array}$$

$$\begin{array}{r} 5\;0 \\ -\;1\;8 \\ \hline \end{array}$$

$$\begin{array}{r} 4\;0 \\ -\;2\;6 \\ \hline \end{array}$$

$$\begin{array}{r} 7\;0 \\ -\;3\;3 \\ \hline \end{array}$$

$$\begin{array}{r} 6\;0 \\ -\;2\;8 \\ \hline \end{array}$$

□ 안에 알맞은 수를 써넣으세요.

5 0 − 1 3	4 0 − 2 7	6 0 − 2 9	7 0 − 3 2
8 0 − 1 3	6 0 − 3 5	7 0 − 2 8	5 0 − 3 5
6 0 − 3 7	7 0 − 2 3	8 0 − 1 1	9 0 − 2 8
7 0 − 4 8	5 0 − 2 8	6 0 − 3 7	5 0 − 1 8

받아내림이 있는 뺄셈 (2)

□ 안에 알맞은 수를 써넣으세요.

```
   2 7        3 5        2 2        4 1
 - 1 8      - 1 7      - 1 6      - 1 6
 ┌─────┐    ┌─────┐    ┌─────┐    ┌─────┐
 └─────┘    └─────┘    └─────┘    └─────┘
```

```
   4 5        5 3        6 2        4 1
 - 2 7      - 2 9      - 1 8      - 1 4
 ┌─────┐    ┌─────┐    ┌─────┐    ┌─────┐
 └─────┘    └─────┘    └─────┘    └─────┘
```

```
   3 5        4 1        6 3        5 1
 - 1 9      - 2 3      - 4 6      - 2 9
 ┌─────┐    ┌─────┐    ┌─────┐    ┌─────┐
 └─────┘    └─────┘    └─────┘    └─────┘
```

```
   6 4        3 8        4 3        5 2
 - 2 7      - 1 9      - 3 6      - 3 4
 ┌─────┐    ┌─────┐    ┌─────┐    ┌─────┐
 └─────┘    └─────┘    └─────┘    └─────┘
```

□ 안에 알맞은 수를 써넣으세요.

```
    2 5          4 3          3 5          4 7
  - 1 6        - 3 4        - 1 6        - 1 8
  ┌─────┐      ┌─────┐      ┌─────┐      ┌─────┐
  └─────┘      └─────┘      └─────┘      └─────┘


    5 4          3 4          2 1          6 3
  - 2 5        - 1 6        - 1 2        - 3 5
  ┌─────┐      ┌─────┐      ┌─────┐      ┌─────┐
  └─────┘      └─────┘      └─────┘      └─────┘


    6 2          5 1          7 4          4 8
  - 2 3        - 2 2        - 4 6        - 2 9
  ┌─────┐      ┌─────┐      ┌─────┐      ┌─────┐
  └─────┘      └─────┘      └─────┘      └─────┘


    5 6          4 5          6 4          5 7
  - 3 7        - 2 9        - 3 5        - 3 9
  ┌─────┐      ┌─────┐      ┌─────┐      ┌─────┐
  └─────┘      └─────┘      └─────┘      └─────┘
```

□ 안에 알맞은 수를 써넣으세요.

```
    4 1          6 6          6 5          4 5
  - 2 8        - 1 9        - 3 8        - 2 7
  ┌─────┐      ┌─────┐      ┌─────┐      ┌─────┐
  └─────┘      └─────┘      └─────┘      └─────┘
```

```
    5 8          4 3          5 2          7 2
  - 1 9        - 1 8        - 3 3        - 4 4
  ┌─────┐      ┌─────┐      ┌─────┐      ┌─────┐
  └─────┘      └─────┘      └─────┘      └─────┘
```

```
    7 3          5 3          5 5          8 2
  - 2 4        - 3 8        - 1 6        - 4 5
  ┌─────┐      ┌─────┐      ┌─────┐      ┌─────┐
  └─────┘      └─────┘      └─────┘      └─────┘
```

```
    5 5          6 1          6 3          7 6
  - 4 9        - 3 3        - 1 8        - 3 7
  ┌─────┐      ┌─────┐      ┌─────┐      ┌─────┐
  └─────┘      └─────┘      └─────┘      └─────┘
```

□ 안에 알맞은 수를 써넣으세요.

$$\begin{array}{r} 5\ 5 \\ -\ 1\ 6 \\ \hline \end{array}$$

$$\begin{array}{r} 4\ 6 \\ -\ 2\ 8 \\ \hline \end{array}$$

$$\begin{array}{r} 7\ 2 \\ -\ 1\ 3 \\ \hline \end{array}$$

$$\begin{array}{r} 7\ 4 \\ -\ 3\ 6 \\ \hline \end{array}$$

$$\begin{array}{r} 5\ 2 \\ -\ 3\ 6 \\ \hline \end{array}$$

$$\begin{array}{r} 6\ 6 \\ -\ 2\ 9 \\ \hline \end{array}$$

$$\begin{array}{r} 3\ 4 \\ -\ 1\ 8 \\ \hline \end{array}$$

$$\begin{array}{r} 6\ 7 \\ -\ 3\ 8 \\ \hline \end{array}$$

$$\begin{array}{r} 7\ 1 \\ -\ 2\ 6 \\ \hline \end{array}$$

$$\begin{array}{r} 6\ 2 \\ -\ 1\ 8 \\ \hline \end{array}$$

$$\begin{array}{r} 5\ 3 \\ -\ 1\ 4 \\ \hline \end{array}$$

$$\begin{array}{r} 5\ 1 \\ -\ 2\ 5 \\ \hline \end{array}$$

$$\begin{array}{r} 8\ 8 \\ -\ 1\ 9 \\ \hline \end{array}$$

$$\begin{array}{r} 8\ 4 \\ -\ 5\ 6 \\ \hline \end{array}$$

$$\begin{array}{r} 4\ 2 \\ -\ 3\ 6 \\ \hline \end{array}$$

$$\begin{array}{r} 7\ 4 \\ -\ 4\ 8 \\ \hline \end{array}$$

□ 안에 알맞은 수를 써넣으세요.

$$\begin{array}{r} 2\ 4 \\ -\ 1\ 9 \\ \hline \end{array}$$

$$\begin{array}{r} 3\ 3 \\ -\ 1\ 6 \\ \hline \end{array}$$

$$\begin{array}{r} 2\ 5 \\ -\ 1\ 8 \\ \hline \end{array}$$

$$\begin{array}{r} 4\ 3 \\ -\ 2\ 5 \\ \hline \end{array}$$

$$\begin{array}{r} 5\ 3 \\ -\ 1\ 8 \\ \hline \end{array}$$

$$\begin{array}{r} 3\ 8 \\ -\ 2\ 9 \\ \hline \end{array}$$

$$\begin{array}{r} 4\ 1 \\ -\ 2\ 6 \\ \hline \end{array}$$

$$\begin{array}{r} 6\ 2 \\ -\ 3\ 7 \\ \hline \end{array}$$

$$\begin{array}{r} 4\ 3 \\ -\ 2\ 6 \\ \hline \end{array}$$

$$\begin{array}{r} 5\ 4 \\ -\ 1\ 7 \\ \hline \end{array}$$

$$\begin{array}{r} 6\ 1 \\ -\ 3\ 7 \\ \hline \end{array}$$

$$\begin{array}{r} 5\ 2 \\ -\ 3\ 9 \\ \hline \end{array}$$

$$\begin{array}{r} 6\ 6 \\ -\ 3\ 8 \\ \hline \end{array}$$

$$\begin{array}{r} 7\ 5 \\ -\ 1\ 9 \\ \hline \end{array}$$

$$\begin{array}{r} 8\ 2 \\ -\ 1\ 6 \\ \hline \end{array}$$

$$\begin{array}{r} 9\ 4 \\ -\ 2\ 7 \\ \hline \end{array}$$

□ 안에 알맞은 수를 써넣으세요.

```
   2 1        3 5        4 2        5 3
 - 1 2      - 1 9      - 2 8      - 1 6
 ┌─────┐    ┌─────┐    ┌─────┐    ┌─────┐
 └─────┘    └─────┘    └─────┘    └─────┘
```

```
   6 1        5 4        3 5        6 1
 - 3 7      - 1 9      - 1 8      - 1 9
 ┌─────┐    ┌─────┐    ┌─────┐    ┌─────┐
 └─────┘    └─────┘    └─────┘    └─────┘
```

```
   5 6        6 2        7 4        8 3
 - 3 9      - 2 8      - 3 6      - 3 7
 ┌─────┐    ┌─────┐    ┌─────┐    ┌─────┐
 └─────┘    └─────┘    └─────┘    └─────┘
```

```
   8 5        7 3        9 1        8 7
 - 2 8      - 3 5      - 3 6      - 3 9
 ┌─────┐    ┌─────┐    ┌─────┐    ┌─────┐
 └─────┘    └─────┘    └─────┘    └─────┘
```

2주차

□ 안에 알맞은 수를 써넣으세요.

```
  5 4        4 3        6 8        7 3
- 1 9      - 2 7      - 4 9      - 3 4
[      ]    [      ]    [      ]    [      ]


  6 1        5 3        3 2        6 4
- 3 5      - 1 6      - 1 8      - 2 5
[      ]    [      ]    [      ]    [      ]


  7 1        8 2        5 6        6 5
- 1 7      - 1 9      - 3 8      - 4 8
[      ]    [      ]    [      ]    [      ]


  8 5        7 4        9 3        7 6
- 2 8      - 4 6      - 3 5      - 4 8
[      ]    [      ]    [      ]    [      ]
```

□ 안에 알맞은 수를 써넣으세요.

$$
\begin{array}{r} 4\ 3 \\ -\ 1\ 9 \\ \hline \end{array}
\qquad
\begin{array}{r} 5\ 6 \\ -\ 4\ 7 \\ \hline \end{array}
\qquad
\begin{array}{r} 7\ 2 \\ -\ 5\ 6 \\ \hline \end{array}
\qquad
\begin{array}{r} 6\ 1 \\ -\ 2\ 5 \\ \hline \end{array}
$$

$$
\begin{array}{r} 5\ 1 \\ -\ 3\ 9 \\ \hline \end{array}
\qquad
\begin{array}{r} 4\ 2 \\ -\ 2\ 3 \\ \hline \end{array}
\qquad
\begin{array}{r} 8\ 2 \\ -\ 4\ 9 \\ \hline \end{array}
\qquad
\begin{array}{r} 8\ 5 \\ -\ 6\ 6 \\ \hline \end{array}
$$

$$
\begin{array}{r} 9\ 4 \\ -\ 3\ 7 \\ \hline \end{array}
\qquad
\begin{array}{r} 3\ 5 \\ -\ 1\ 8 \\ \hline \end{array}
\qquad
\begin{array}{r} 6\ 5 \\ -\ 3\ 8 \\ \hline \end{array}
\qquad
\begin{array}{r} 5\ 4 \\ -\ 2\ 9 \\ \hline \end{array}
$$

$$
\begin{array}{r} 6\ 4 \\ -\ 2\ 8 \\ \hline \end{array}
\qquad
\begin{array}{r} 5\ 2 \\ -\ 3\ 5 \\ \hline \end{array}
\qquad
\begin{array}{r} 3\ 4 \\ -\ 2\ 6 \\ \hline \end{array}
\qquad
\begin{array}{r} 9\ 7 \\ -\ 3\ 8 \\ \hline \end{array}
$$

두 자리 수의 뺄셈

□ 안에 알맞은 수를 써넣으세요.

```
   6 3        4 0        5 7        4 6
 - 1 5      - 3 1      - 3 8      - 2 9
 ┌─────┐    ┌─────┐    ┌─────┐    ┌─────┐
 └─────┘    └─────┘    └─────┘    └─────┘
```

```
   5 3        4 7        6 1        6 0
 - 2 6      - 2 8      - 1 9      - 2 8
 ┌─────┐    ┌─────┐    ┌─────┐    ┌─────┐
 └─────┘    └─────┘    └─────┘    └─────┘
```

```
   3 6        5 5        5 2        2 3
 - 1 7      - 3 8      - 4 7      - 1 9
 ┌─────┐    ┌─────┐    ┌─────┐    ┌─────┐
 └─────┘    └─────┘    └─────┘    └─────┘
```

```
   4 3        3 7        2 2        5 0
 - 3 4      - 1 9      - 1 8      - 3 2
 ┌─────┐    ┌─────┐    ┌─────┐    ┌─────┐
 └─────┘    └─────┘    └─────┘    └─────┘
```

□ 안에 알맞은 수를 써넣으세요.

$$\begin{array}{r} 6\ 0 \\ -\ 4\ 8 \\ \hline \end{array}$$
$$\begin{array}{r} 5\ 2 \\ -\ 3\ 4 \\ \hline \end{array}$$
$$\begin{array}{r} 4\ 2 \\ -\ 3\ 3 \\ \hline \end{array}$$
$$\begin{array}{r} 3\ 8 \\ -\ 2\ 9 \\ \hline \end{array}$$

$$\begin{array}{r} 4\ 1 \\ -\ 2\ 6 \\ \hline \end{array}$$
$$\begin{array}{r} 5\ 2 \\ -\ 2\ 4 \\ \hline \end{array}$$
$$\begin{array}{r} 7\ 0 \\ -\ 1\ 8 \\ \hline \end{array}$$
$$\begin{array}{r} 6\ 6 \\ -\ 3\ 9 \\ \hline \end{array}$$

$$\begin{array}{r} 5\ 1 \\ -\ 2\ 2 \\ \hline \end{array}$$
$$\begin{array}{r} 4\ 4 \\ -\ 1\ 7 \\ \hline \end{array}$$
$$\begin{array}{r} 6\ 3 \\ -\ 4\ 6 \\ \hline \end{array}$$
$$\begin{array}{r} 4\ 0 \\ -\ 3\ 1 \\ \hline \end{array}$$

$$\begin{array}{r} 5\ 3 \\ -\ 3\ 5 \\ \hline \end{array}$$
$$\begin{array}{r} 4\ 2 \\ -\ 1\ 5 \\ \hline \end{array}$$
$$\begin{array}{r} 4\ 8 \\ -\ 3\ 9 \\ \hline \end{array}$$
$$\begin{array}{r} 7\ 1 \\ -\ 3\ 4 \\ \hline \end{array}$$

□ 안에 알맞은 수를 써넣으세요.

```
    3 3        6 1        4 5        6 0
  - 1 6      - 3 7      - 2 6      - 3 8
  ┌─────┐    ┌─────┐    ┌─────┐    ┌─────┐
  └─────┘    └─────┘    └─────┘    └─────┘


    5 3        6 4        8 0        5 3
  - 2 4      - 4 6      - 1 3      - 2 6
  ┌─────┐    ┌─────┐    ┌─────┐    ┌─────┐
  └─────┘    └─────┘    └─────┘    └─────┘


    3 0        5 1        7 0        5 7
  - 2 3      - 2 6      - 4 4      - 3 8
  ┌─────┐    ┌─────┐    ┌─────┐    ┌─────┐
  └─────┘    └─────┘    └─────┘    └─────┘


    7 4        6 3        5 5        8 0
  - 4 6      - 4 8      - 3 6      - 3 4
  ┌─────┐    ┌─────┐    ┌─────┐    ┌─────┐
  └─────┘    └─────┘    └─────┘    └─────┘
```

□ 안에 알맞은 수를 써넣으세요.

```
  4 3        3 5        5 1        7 0
- 1 9      - 2 8      - 1 6      - 4 2
 (    )      (    )      (    )      (    )
```

```
  6 0        7 0        5 5        8 7
- 1 6      - 2 7      - 2 8      - 3 8
 (    )      (    )      (    )      (    )
```

```
  7 2        6 4        8 3        5 2
- 3 5      - 4 6      - 2 6      - 1 7
 (    )      (    )      (    )      (    )
```

```
  3 6        8 0        7 0        4 2
- 1 9      - 5 2      - 4 4      - 2 3
 (    )      (    )      (    )      (    )
```

□ 안에 알맞은 수를 써넣으세요.

$$\begin{array}{r} 4\ 0 \\ -\ 1\ 8 \\ \hline \end{array}$$

$$\begin{array}{r} 5\ 1 \\ -\ 2\ 6 \\ \hline \end{array}$$

$$\begin{array}{r} 4\ 3 \\ -\ 2\ 5 \\ \hline \end{array}$$

$$\begin{array}{r} 3\ 5 \\ -\ 2\ 6 \\ \hline \end{array}$$

$$\begin{array}{r} 5\ 2 \\ -\ 1\ 7 \\ \hline \end{array}$$

$$\begin{array}{r} 6\ 3 \\ -\ 2\ 4 \\ \hline \end{array}$$

$$\begin{array}{r} 7\ 0 \\ -\ 1\ 9 \\ \hline \end{array}$$

$$\begin{array}{r} 6\ 5 \\ -\ 2\ 8 \\ \hline \end{array}$$

$$\begin{array}{r} 5\ 0 \\ -\ 3\ 5 \\ \hline \end{array}$$

$$\begin{array}{r} 4\ 4 \\ -\ 1\ 7 \\ \hline \end{array}$$

$$\begin{array}{r} 8\ 3 \\ -\ 2\ 6 \\ \hline \end{array}$$

$$\begin{array}{r} 5\ 4 \\ -\ 3\ 7 \\ \hline \end{array}$$

$$\begin{array}{r} 6\ 4 \\ -\ 2\ 9 \\ \hline \end{array}$$

$$\begin{array}{r} 5\ 2 \\ -\ 3\ 8 \\ \hline \end{array}$$

$$\begin{array}{r} 7\ 5 \\ -\ 2\ 8 \\ \hline \end{array}$$

$$\begin{array}{r} 6\ 1 \\ -\ 3\ 7 \\ \hline \end{array}$$

□ 안에 알맞은 수를 써넣으세요.

```
  7 0        4 2        6 4        7 5
- 2 3      - 2 9      - 3 7      - 4 8
┌─────┐    ┌─────┐    ┌─────┐    ┌─────┐
└─────┘    └─────┘    └─────┘    └─────┘


  5 3        8 2        7 1        8 5
- 1 9      - 1 5      - 3 9      - 4 6
┌─────┐    ┌─────┐    ┌─────┐    ┌─────┐
└─────┘    └─────┘    └─────┘    └─────┘


  5 2        4 3        6 2        5 2
- 3 6      - 1 8      - 4 7      - 3 4
┌─────┐    ┌─────┐    ┌─────┐    ┌─────┐
└─────┘    └─────┘    └─────┘    └─────┘


  6 1        8 0        4 7        9 3
- 1 9      - 2 4      - 2 9      - 3 9
┌─────┐    ┌─────┐    ┌─────┐    ┌─────┐
└─────┘    └─────┘    └─────┘    └─────┘
```

□ 안에 알맞은 수를 써넣으세요.

3 4	5 1	6 0	4 3
− 1 7	− 2 9	− 3 7	− 2 6

5 2	6 3	7 1	3 3
− 1 8	− 3 5	− 2 9	− 1 4

4 0	8 2	9 3	8 1
− 2 4	− 4 6	− 7 7	− 4 9

6 8	5 4	3 2	7 5
− 2 9	− 1 7	− 1 9	− 2 8

□ 안에 알맞은 수를 써넣으세요.

3 2 − 1 5	5 1 − 2 9	4 3 − 2 5	5 8 − 1 9
6 3 − 4 5	7 1 − 1 8	5 0 − 4 5	4 7 − 2 9
7 5 − 4 7	8 2 − 2 9	9 3 − 4 7	8 5 − 3 8
7 4 − 2 7	9 1 − 3 3	6 5 − 2 8	7 4 − 3 8

세 수의 덧셈과 뺄셈

□ 안에 알맞은 수를 써넣으세요.

26 + 14 + 18 = ☐   22 + 19 + 14 = ☐

27 + 36 + 15 = ☐   39 + 25 + 16 = ☐

48 + 26 + 16 = ☐   27 + 13 + 24 = ☐

31 + 15 + 27 = ☐   35 + 15 + 33 = ☐

29 + 12 + 34 = ☐   46 + 18 + 15 = ☐

43 + 26 + 17 = ☐   29 + 26 + 25 = ☐

□ 안에 알맞은 수를 써넣으세요.

35 + 18 + 27 = ☐

42 + 29 + 13 = ☐

45 + 29 + 15 = ☐

28 + 26 + 17 = ☐

32 + 39 + 17 = ☐

37 + 25 + 28 = ☐

54 + 16 + 23 = ☐

48 + 17 + 26 = ☐

44 + 28 + 18 = ☐

18 + 53 + 19 = ☐

38 + 28 + 17 = ☐

33 + 35 + 27 = ☐

□ 안에 알맞은 수를 써넣으세요.

42 - 12 - 15 = □

52 - 23 - 17 = □

51 - 15 - 11 = □

64 - 38 - 15 = □

55 - 26 - 12 = □

61 - 13 - 26 = □

37 - 19 - 14 = □

42 - 17 - 15 = □

68 - 19 - 16 = □

72 - 18 - 15 = □

54 - 14 - 18 = □

73 - 35 - 19 = □

□ 안에 알맞은 수를 써넣으세요.

43 - 18 - 19 = ☐   71 - 14 - 39 = ☐

52 - 17 - 26 = ☐   65 - 28 - 18 = ☐

47 - 19 - 21 = ☐   44 - 18 - 17 = ☐

65 - 18 - 29 = ☐   53 - 17 - 19 = ☐

71 - 33 - 19 = ☐   90 - 45 - 26 = ☐

84 - 37 - 18 = ☐   88 - 29 - 35 = ☐

□ 안에 알맞은 수를 써넣으세요.

26 + 47 - 16 = ☐   43 + 19 - 14 = ☐

48 + 38 - 27 = ☐   16 + 35 - 24 = ☐

37 + 25 - 15 = ☐   27 + 47 - 12 = ☐

29 + 51 - 14 = ☐   54 + 17 - 13 = ☐

34 + 37 - 15 = ☐   31 + 24 - 16 = ☐

44 + 38 - 17 = ☐   25 + 55 - 28 = ☐

□ 안에 알맞은 수를 써넣으세요.

25 + 38 - 19 = ▢

35 + 36 - 17 = ▢

37 + 26 - 34 = ▢

48 + 24 - 29 = ▢

29 + 43 - 38 = ▢

56 + 38 - 28 = ▢

34 + 48 - 26 = ▢

43 + 37 - 11 = ▢

27 + 45 - 18 = ▢

32 + 39 - 23 = ▢

52 + 18 - 24 = ▢

24 + 56 - 35 = ▢

□ 안에 알맞은 수를 써넣으세요.

52 - 13 + 16 = ☐

55 - 19 + 21 = ☐

46 - 27 + 32 = ☐

62 - 25 + 32 = ☐

44 - 15 + 26 = ☐

48 - 19 + 23 = ☐

51 - 25 + 23 = ☐

53 - 24 + 17 = ☐

44 - 16 + 22 = ☐

61 - 16 + 14 = ☐

53 - 24 + 19 = ☐

52 - 14 + 37 = ☐

□ 안에 알맞은 수를 써넣으세요.

51 - 32 + 17 = ☐

42 - 19 + 35 = ☐

45 - 18 + 35 = ☐

54 - 35 + 28 = ☐

42 - 16 + 26 = ☐

61 - 17 + 24 = ☐

54 - 25 + 38 = ☐

53 - 36 + 18 = ☐

64 - 28 + 15 = ☐

75 - 27 + 35 = ☐

53 - 37 + 29 = ☐

56 - 19 + 36 = ☐

Note

정답

정답

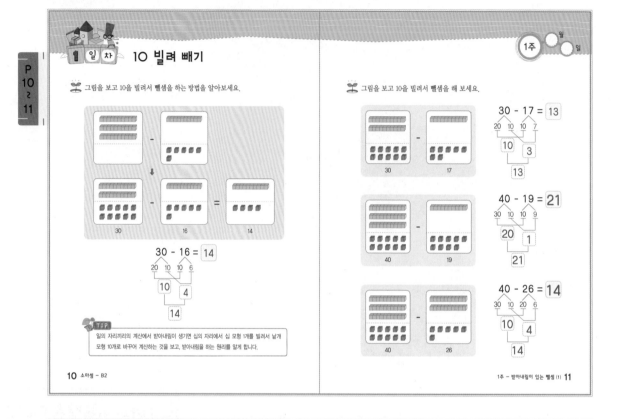

1 일차 10 빌려 빼기

🌱 그림을 보고 10을 빌려서 뺄셈을 하는 방법을 알아보세요.

$$30 - 16 = 14$$

TIP 일의 자리끼리의 계산에서 받아내림이 생기면 십의 자리에서 십 모형 1개를 빌려서 낱개
모형 10개로 바꾸어 계산하는 것을 보고, 받아내림을 하는 원리를 알게 합니다.

10 소마셈 – B2

🌱 그림을 보고 10을 빌려서 뺄셈을 해 보세요.

$$30 - 17 = 13$$

$$40 - 19 = 21$$

$$40 - 26 = 14$$

1주 – 받아내림이 있는 뺄셈 (1) 11

1주

🌱 □ 안에 알맞은 수를 써넣으세요.

$$50 - 16 = 34$$
$$40 - 29 = 11$$
$$30 - 18 = 12$$
$$40 - 28 = 12$$
$$50 - 33 = 17$$
$$40 - 26 = 14$$
$$50 - 25 = 25$$
$$30 - 17 = 13$$
$$40 - 15 = 25$$
$$50 - 12 = 38$$
$$60 - 13 = 47$$
$$60 - 25 = 35$$

12 소마셈 – B2

2 일차 자리를 나누어 빼기

🌱 10을 빌려서 자리를 나누어 뺄셈을 해 보세요.

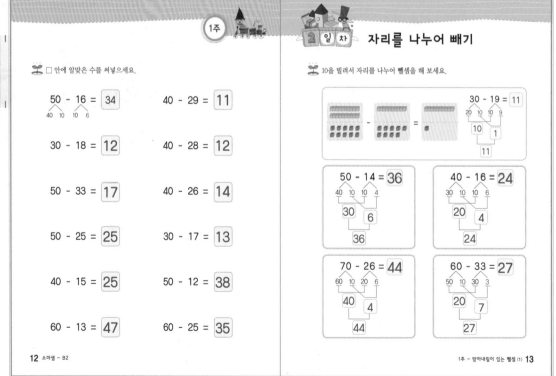

$$30 - 19 = 11$$

$$50 - 14 = 36$$

$$40 - 16 = 24$$

$$70 - 26 = 44$$

$$60 - 33 = 27$$

1주 – 받아내림이 있는 뺄셈 (1) 13

100 소마셈 – B2

3 일 차 **세로셈 (1)**

□ 안에 알맞은 수를 써넣으세요.

$$40 - 21 = \boxed{19}$$
(30 10) (20 1)

$$40 - 18 = \boxed{22}$$

$$50 - 22 = \boxed{28}$$

$$30 - 11 = \boxed{19}$$

$$40 - 31 = \boxed{9}$$

$$50 - 27 = \boxed{23}$$

$$60 - 27 = \boxed{33}$$

$$40 - 19 = \boxed{21}$$

$$70 - 36 = \boxed{34}$$

$$60 - 42 = \boxed{18}$$

$$60 - 24 = \boxed{36}$$

$$70 - 45 = \boxed{25}$$

일의 자리, 십의 자리의 위치를 맞추어 □ 안에 알맞은 수를 써넣으세요.

일		십		십	일
3	10	3		3	10
4	0	4	0	4	0
- 1	9	- 1	9	- 1	9
	1		2	2	1

10 - 9 = 1   3 - 1 = 2

일		십		십	일
4	10	4		4	10
5	0	5	0	5	0
- 2	4	- 2	4	- 2	4
	6		2	2	6

일		십		십	일
5	10	5		5	10
6	0	6	0	6	0
- 2	1	- 2	1	- 2	1
	9		3	3	9

P 14 ₹ 15

 4 일 차 **세로셈 (2)**

□ 안에 알맞은 수를 써넣으세요.

(3 10)
4 0
- 3 7
= 3

4 0
- 2 3
= 1 7

5 0
- 3 7
= 1 3

6 0
- 2 5
= 3 5

7 0
- 3 6
= 3 4

8 0
- 3 4
= 4 6

5 0
- 4 3
= 7

7 0
- 4 5
= 2 5

4 0
- 1 2
= 2 8

9 0
- 4 1
= 4 9

8 0
- 3 5
= 4 5

6 0
- 4 6
= 1 4

□ 안에 알맞은 수를 써넣으세요.

(6 10)
7 0
- 3 1
= 3 9

5 0
- 1 8
= 3 2

4 0
- 2 6
= 1 4

6 0
- 3 4
= 2 6

7 0
- 5 1
= 1 9

6 0
- 4 5
= 1 5

8 0
- 6 6
= 1 4

7 0
- 4 4
= 2 6

6 0
- 3 4
= 2 6

5 0
- 3 2
= 1 8

8 0
- 1 7
= 6 3

9 0
- 5 3
= 3 7

P 16 ₹ 17

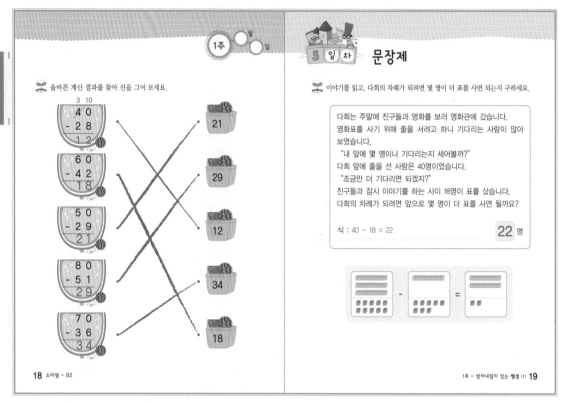

올바른 계산 결과를 찾아 선을 그어 보세요.

$$\begin{array}{r} 3\ 10 \\ 4\ 0 \\ -\ 2\ 8 \\ \hline 1\ 2 \end{array}$$

$$\begin{array}{r} 6\ 0 \\ -\ 4\ 2 \\ \hline 1\ 8 \end{array}$$

$$\begin{array}{r} 5\ 0 \\ -\ 2\ 9 \\ \hline 2\ 1 \end{array}$$

$$\begin{array}{r} 8\ 0 \\ -\ 5\ 1 \\ \hline 2\ 9 \end{array}$$

$$\begin{array}{r} 7\ 0 \\ -\ 3\ 6 \\ \hline 3\ 4 \end{array}$$

21
29
12
34
18

5일차 문장제

이야기를 읽고, 다희의 차례가 되려면 몇 명이 더 표를 사면 되는지 구하세요.

다희는 주말에 친구들과 영화를 보러 영화관에 갔습니다.
영화표를 사기 위해 줄을 서려고 하니 기다리는 사람이 많아
보였습니다.
"내 앞에 몇 명이나 기다리는지 세어볼까?"
다희 앞에 줄을 선 사람은 40명이었습니다.
"조금만 더 기다리면 되겠지?"
친구들과 잠시 이야기를 하는 사이 18명이 표를 샀습니다.
다희의 차례가 되려면 앞으로 몇 명이 더 표를 사면
될까요?

식 : 40 - 18 = 22   22 명

신나는 연산!

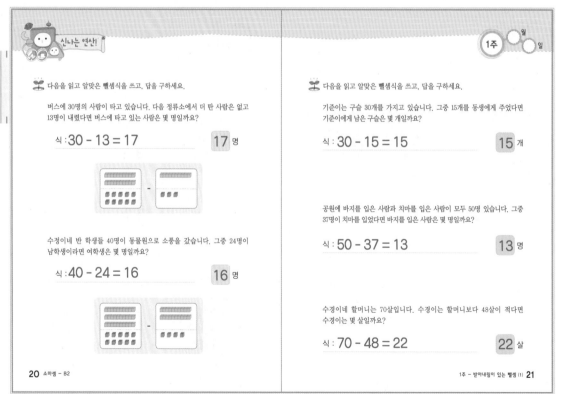

다음을 읽고 알맞은 뺄셈식을 쓰고, 답을 구하세요.

버스에 30명의 사람이 타고 있습니다. 다음 정류소에서 더 탄 사람은 없고
13명이 내렸다면 버스에 타고 있는 사람은 몇 명일까요?

식 : 30 - 13 = 17   17 명

수정이네 반 학생들 40명이 동물원으로 소풍을 갔습니다. 그중 24명이
남학생이라면 여학생은 몇 명일까요?

식 : 40 - 24 = 16   16 명

다음을 읽고 알맞은 뺄셈식을 쓰고, 답을 구하세요.

기준이는 구슬 30개를 가지고 있습니다. 그중 15개를 동생에게 주었다면
기준이에게 남은 구슬은 몇 개일까요?

식 : 30 - 15 = 15   15 개

공원에 바지를 입은 사람과 치마를 입은 사람이 모두 50명 있습니다. 그중
37명이 치마를 입었다면 바지를 입은 사람은 몇 명일까요?

식 : 50 - 37 = 13   13 명

수경이네 할머니는 70살입니다. 수경이는 할머니보다 48살이 적다면
수경이는 몇 살일까요?

식 : 70 - 48 = 22   22 살

🦋 다음을 읽고 알맞은 **뺄셈식**을 쓰고, 답을 구하세요.

선주는 사탕 40개를 가지고 있습니다. 친구들에게 하나씩 나누어 주었더니 29개가 남았습니다. 선주가 사탕을 나누어준 친구들은 몇 명일까요?

식 : 40 - 29 = 11   **11** 명

바구니에 귤이 60개 있었는데 일주일 동안 32개를 먹었습니다. 바구니에 남은 귤은 몇 개일까요?

식 : 60 - 32 = 28   **28** 개

꽃밭에 코스모스와 해바라기가 80송이 피어있습니다. 그중 56송이가 코스모스라면 해바라기는 몇 송이일까요?

식 : 80 - 56 = 24   **24** 송이

22 소마셈 – B2

🔺🏠 **1** 일 **차**   **10 빌려 빼기**

🦋 그림을 보고 10을 빌려서 **뺄셈**을 하는 방법을 알아보세요.

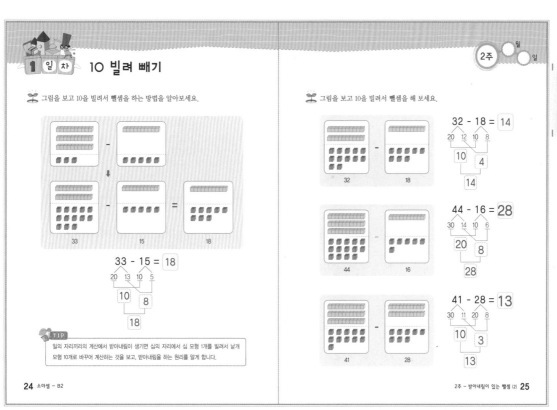

33   15   18

$33 - 15 = \boxed{18}$

```
  20  13  10   5
      10      8
          18
```

🔺TIP

일의 자리끼리의 계산에서 받아내림이 생기면 십의 자리에서 십 모형 1개를 빌려서 낱개 모형 10개로 바꾸어 계산하는 것을 보고, 받아내림을 하는 원리를 알게 합니다.

24 소마셈 – B2

🦋 그림을 보고 10을 빌려서 **뺄셈**을 해 보세요.

$32 - 18 = \boxed{14}$

```
20  12  10   8
    10      4
        14
```

32   18

$44 - 16 = \boxed{28}$

```
30  14  10   6
    20      8
        28
```

44   16

$41 - 28 = \boxed{13}$

```
30  11  20   8
    10      3
        13
```

41   28

2주 – 받아내림이 있는 뺄셈 (2) 25

2주

□ 안에 알맞은 수를 써넣으세요.

34 - 17 = $\boxed{17}$
20 14 10 7

33 - 19 = $\boxed{14}$

42 - 16 = $\boxed{26}$

44 - 28 = $\boxed{16}$

51 - 35 = $\boxed{16}$

35 - 16 = $\boxed{19}$

46 - 27 = $\boxed{19}$

52 - 19 = $\boxed{33}$

44 - 15 = $\boxed{29}$

54 - 26 = $\boxed{28}$

62 - 27 = $\boxed{35}$

65 - 36 = $\boxed{29}$

26 소마셈 - B2

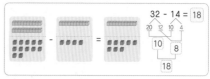

2 일 차 자리를 나누어 빼기

10을 빌려서 자리를 나누어 뺄셈을 해 보세요.

32 - 14 = $\boxed{18}$
20 12 10 4
10
8
18

41 - 17 = $\boxed{24}$
30 11 10 7
20   4
24

54 - 18 = $\boxed{36}$
40 14 10 8
30   6
36

58 - 39 = $\boxed{19}$
40 18 30 9
10   9
19

63 - 26 = $\boxed{37}$
50 13 20 6
30   7
37

2주 - 받아내림이 있는 뺄셈 (2) 27

2주 일 일

□ 안에 알맞은 수를 써넣으세요.

45 - 18 = $\boxed{27}$
30 15 10 8

43 - 18 = $\boxed{25}$

54 - 17 = $\boxed{37}$

55 - 27 = $\boxed{28}$

41 - 16 = $\boxed{25}$

62 - 25 = $\boxed{37}$

53 - 35 = $\boxed{18}$

43 - 27 = $\boxed{16}$

64 - 28 = $\boxed{36}$

71 - 33 = $\boxed{38}$

65 - 36 = $\boxed{29}$

74 - 47 = $\boxed{27}$

28 소마셈 - B2

3 일 차 세로셈 (1)

일의 자리, 십의 자리의 위치를 맞추어 □ 안에 알맞은 수를 써넣으세요.

일
3 10
4̶ 2
- 1 5
7

12 - 5 = 7

십
3
4̶ 2
- 1 5
2

3 - 1 = 2

십	일
3	10
4̶	2
- 1	5
$\boxed{2}$	$\boxed{7}$

일
3 10
4̶ 6
- 2 9
7

➡

십
3
4̶ 6
- 2 9
1

➡

십	일
3	10
4̶	6
- 2	9
$\boxed{1}$	$\boxed{7}$

일
4 10
5̶ 3
- 3 8
5

➡

십
4
5̶ 3
- 3 8
1

➡

십	일
4	10
5̶	3
- 3	8
$\boxed{1}$	$\boxed{5}$

TIP
42 - 15와 같이 받아내림이 있는 일의 자리 수 계산을 할 때, 십의 자리에서 빌려온 10으로 빼는 수를 먼저 빼고, 남은 수를 더하는 것이 쉽습니다. (12 - 5 = 10 - 5 + 2 = 7)

2주 - 받아내림이 있는 뺄셈 (2) 29

2주 월 일

 세로셈 (2)

P 30 ~ 31

🌱 □ 안에 알맞은 수를 써넣으세요.

3 10
44 - 18 = 26
31 - 22 = 9
47 - 18 = 29

52 - 26 = 26
46 - 29 = 17
62 - 14 = 48

75 - 18 = 57
63 - 27 = 36
54 - 39 = 15

61 - 33 = 28
53 - 38 = 15
71 - 45 = 26

🌱 □ 안에 알맞은 수를 써넣으세요.

6 10
71 - 35 = 36
55 - 17 = 38
42 - 28 = 14

61 - 26 = 35
74 - 47 = 27
66 - 38 = 28

77 - 48 = 29
83 - 49 = 34
84 - 38 = 46

62 - 35 = 27
93 - 16 = 77
92 - 53 = 39

2주 월 일

5 일차 문장제

P 32 ~ 33

🌱 올바른 계산 결과를 찾아 선을 그어 보세요.

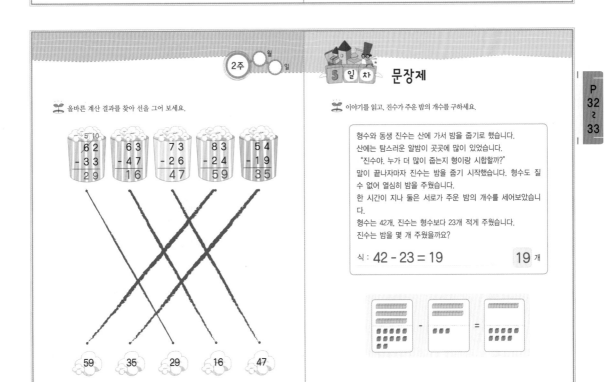

5 10
62 - 33 = 29
63 - 47 = 16
73 - 26 = 47
83 - 24 = 59
54 - 19 = 35

59   35   29   16   47

🌱 이야기를 읽고, 진수가 주운 밤의 개수를 구하세요.

형수와 동생 진수는 산에 가서 밤을 줍기로 했습니다.
산에는 탐스러운 알밤이 곳곳에 많이 있었습니다.
"진수야, 누가 더 많이 줍는지 형이랑 시합할까?"
말이 끝나자마자 진수는 밤을 줍기 시작했습니다. 형수도 질 수 없어 열심히 밤을 주웠습니다.
한 시간이 지나 둘은 서로가 주운 밤의 개수를 세어보았습니다.
형수는 42개, 진수는 형수보다 23개 적게 주웠습니다.
진수는 밤을 몇 개 주웠을까요?

식 : 42 - 23 = 19   19 개

P
34
~
35

다음을 읽고 알맞은 뺄셈식을 쓰고, 답을 구하세요.

연경이는 구슬 44개를 가지고 있습니다. 준수는 연경이보다 구슬을 27개 적게 가지고 있다면 준수가 가진 구슬은 몇 개일까요?

식 : 44 - 27 = 17   **17** 개

도서관에 51명의 학생들이 책을 보고 있습니다. 몇 시간 후 39명이 집으로 돌아갔다면 도서관에 남아 책을 보는 학생들은 몇 명일까요?

식 : 51 - 39 = 12   **12** 명

34 소마셈 - B2

2주 월 일

다음을 읽고 알맞은 뺄셈식을 쓰고, 답을 구하세요.

주머니 안에 빨간색 구슬과 초록색 구슬이 모두 41개 있습니다. 그중 13개가 초록색 구슬이라면 빨간색 구슬은 몇 개일까요?

식 : 41 - 13 = 28   **28** 개

연못에 거위 63마리가 있습니다. 그중 39마리가 연못 밖으로 나갔다면 연못 안에 남아있는 거위는 몇 마리일까요?

식 : 63 - 39 = 24   **24** 마리

성수의 할아버지는 72살입니다. 아빠는 할아버지보다 34살이 적다면 아빠는 몇 살일까요?

식 : 72 - 34 = 38   **38** 살

2주 - 받아내림이 있는 뺄셈 (2) 35

2주

P
36

다음을 읽고 알맞은 뺄셈식을 쓰고, 답을 구하세요.

지훈이는 일주일 동안 수학 문제 56개를 풀었습니다. 채점을 한 결과 18개를 틀렸다면 맞은 문제는 몇 개일까요?

식 : 56 - 18 = 38   **38** 개

농장에 42마리의 소를 키우고 있습니다. 그중 수컷이 24마리라면 암컷은 몇 마리일까요?

식 : 42 - 24 = 18   **18** 마리

소마 초등학교에서 85명의 학생들이 소풍을 가기로 했습니다. 그중 26명이 아파서 결석을 했다면 소풍을 간 학생들은 몇 명일까요?

식 : 85 - 26 = 59   **59** 명

36 소마셈 - B2

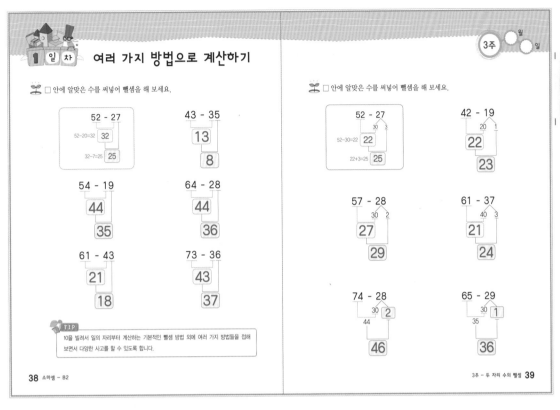

□ 안에 알맞은 수를 써넣어 뺄셈을 해 보세요.

52 - 27
52-20=32 32
32-7=25 25

43 - 35
13
8

54 - 19
44
35

64 - 28
44
36

61 - 43
21
18

73 - 36
43
37

TIP
10을 빌려서 일의 자리부터 계산하는 기본적인 뺄셈 방법 외에 여러 가지 방법들을 접해 보면서 다양한 사고를 할 수 있도록 합니다.

□ 안에 알맞은 수를 써넣어 뺄셈을 해 보세요.

52 - 27
30 3
52-30=22 22
22+3=25 25

42 - 19
20 1
22
23

57 - 28
30 2
27
29

61 - 37
40 3
21
24

74 - 28
30 2
44
46

65 - 29
30 1
35
36

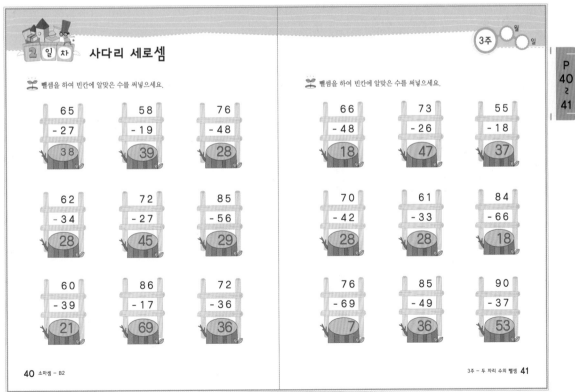

□ 뺄셈을 하여 빈칸에 알맞은 수를 써넣으세요.

65
- 27
38

58
- 19
39

76
- 48
28

62
- 34
28

72
- 27
45

85
- 56
29

60
- 39
21

86
- 17
69

72
- 36
36

□ 뺄셈을 하여 빈칸에 알맞은 수를 써넣으세요.

66
- 48
18

73
- 26
47

55
- 18
37

70
- 42
28

61
- 33
28

84
- 66
18

76
- 69
7

85
- 49
36

90
- 37
53

정답

3 일차 벌레 먹은 뺄셈

빈칸에 알맞은 숫자를 써넣으세요.

3 2 - 1 5 1 7	5 1 - 1 4 3 7	7 2 - 2 4 4 8
6 2 - 3 8 2 4	5 1 - 3 7 1 4	6 4 - 2 5 3 9
4 0 - 1 6 2 4	8 1 - 2 8 5 3	7 4 - 1 8 5 6
6 3 - 2 9 3 4	9 2 - 2 4 6 8	8 0 - 2 2 5 8

빈칸에 알맞은 숫자를 써넣으세요.

8 3 - 1 4 6 9	5 2 - 2 8 2 4	6 1 - 1 5 4 6
6 0 - 2 7 3 3	4 4 - 2 5 1 9	6 0 - 3 6 4 4
7 2 - 5 5 1 7	6 3 - 2 4 3 9	4 1 - 2 6 1 5
9 3 - 5 4 3 9	8 1 - 6 3 1 8	7 3 - 2 7 4 6

4 일차 뺄셈 퍼즐

사다리를 타고 내려와 □ 안에 알맞은 수를 써넣으세요.

올바른 계산 결과가 되도록 길을 그려 보세요.

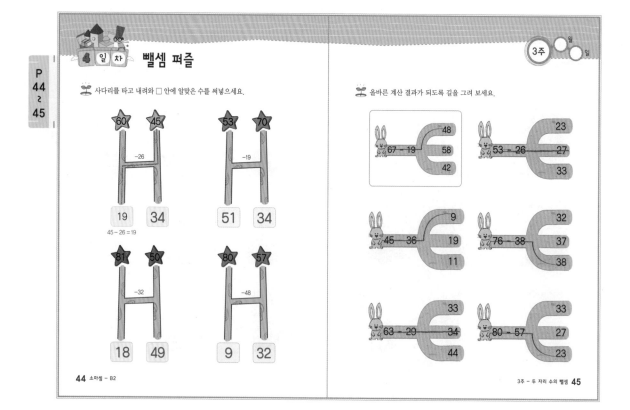

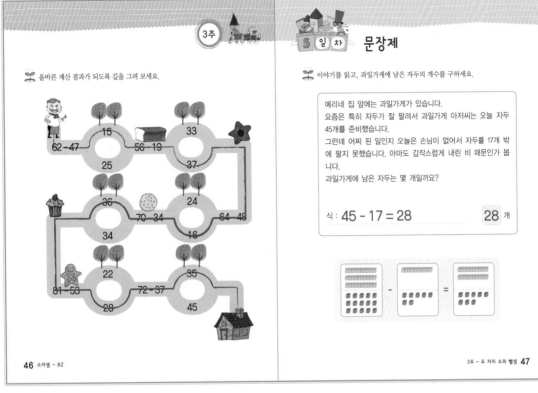

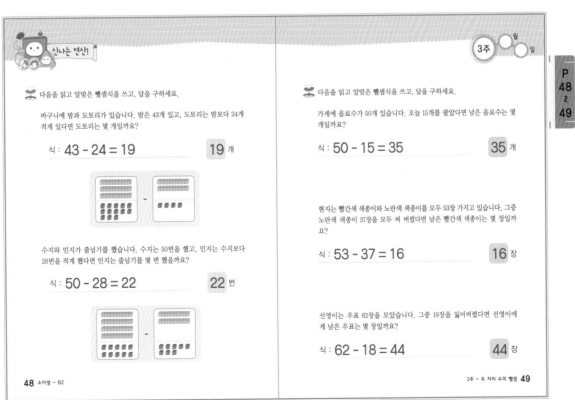

3주

P 50

🌱 다음을 읽고 알맞은 뺄셈식을 쓰고, 답을 구하세요.

연못 안에 개구리와 올챙이가 54마리 있습니다. 올챙이가 26마리 있다면 개구리는 몇 마리일까요?

식 : 54 - 26 = 28   **28** 마리

검은색 바둑돌이 75개 있고, 흰색 바둑돌은 검은색 바둑돌보다 38개 적게 있다면 흰색 바둑돌은 몇 개일까요?

식 : 75 - 38 = 37   **37** 개

복숭아나무에 복숭아 88개가 있습니다. 바람이 심하게 불어 29개가 나무에서 떨어진다면 나무에 남은 복숭아는 몇 개일까요?

식 : 88 - 29 = 59   **59** 개

P 52 ~ 53

1 일차 세 수의 덧셈

4주 월 일

🌱 □안에 알맞은 수를 써넣어 차례로 계산하세요.

28 + 14 + 32 = **74**
42
74

17 + 45 + 21 = **83**
62
83

33 + 29 + 26 = **88**
62
88

27 + 44 + 25 = **96**
71
96

25 + 48 + 19 = **92**
73
92

46 + 16 + 33 = **95**
62
95

🌱 □안에 알맞은 수를 써넣으세요.

+15 → 65
+18 50
32

+23 → 76
+26 53
27

+16 → 78
+23 62
39

+24 → 79
+37 55
18

+32 → 78
+19 46
27

+27 → 90
+14 63
49

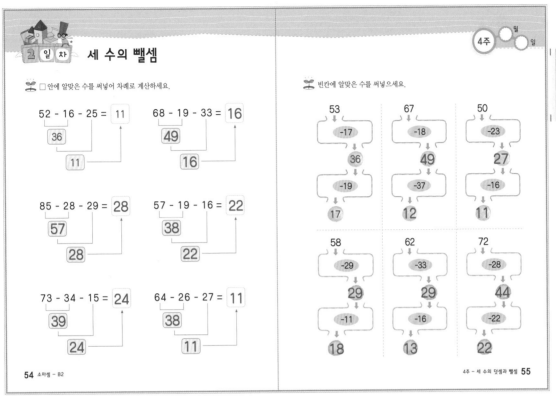

🌱 □안에 알맞은 수를 써넣어 차례로 계산하세요.

52 - 16 - 25 = 11
36
11

68 - 19 - 33 = 16
49
16

85 - 28 - 29 = 28
57
28

57 - 19 - 16 = 22
38
22

73 - 34 - 15 = 24
39
24

64 - 26 - 27 = 11
38
11

🌱 빈칸에 알맞은 수를 써넣으세요.

4주 월 일

P 54 ~ 55

53
-17
36
-19
17

67
-18
49
-37
12

50
-23
27
-16
11

58
-29
29
-11
18

62
-33
29
-16
13

72
-28
44
-22
22

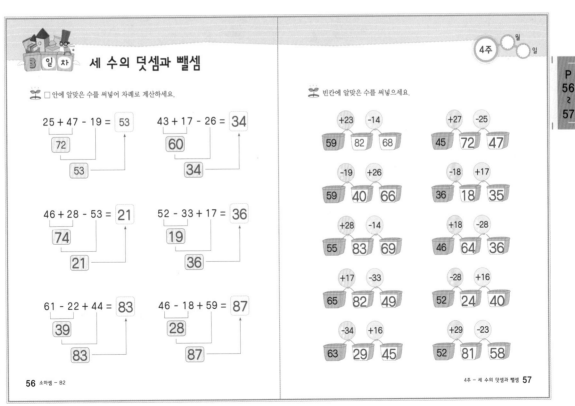

🌱 □안에 알맞은 수를 써넣어 차례로 계산하세요.

25 + 47 - 19 = 53
72
53

43 + 17 - 26 = 34
60
34

46 + 28 - 53 = 21
74
21

52 - 33 + 17 = 36
19
36

61 - 22 + 44 = 83
39
83

46 - 18 + 59 = 87
28
87

🌱 빈칸에 알맞은 수를 써넣으세요.

4주 월 일

P 56 ~ 57

+23 -14
59 82 68

+27 -25
45 72 47

-19 +26
59 40 66

-18 +17
36 18 35

+28 -14
55 83 69

+18 -28
46 64 36

+17 -33
65 82 49

-28 +16
52 24 40

-34 +16
63 29 45

+29 -23
52 81 58

정답

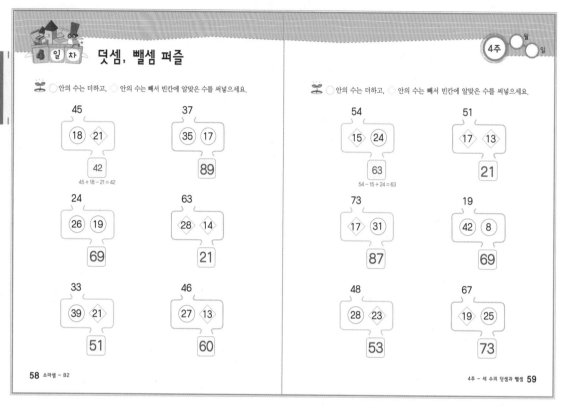

4일차 덧셈, 뺄셈 퍼즐

🌱 ◯ 안의 수는 더하고, ◇ 안의 수는 빼서 빈칸에 알맞은 수를 써넣으세요.

45
(18) ◇21
42
45 + 18 - 21 = 42

37
(35) (17)
89

24
(26) (19)
69

63
◇28 ◇14
21

33
◇39 ◇21
51

46
(27) (13)
60

🌱 ◯ 안의 수는 더하고, ◇ 안의 수는 빼서 빈칸에 알맞은 수를 써넣으세요.

54
◇15 (24)
63
54 - 15 + 24 = 63

51
(17) ◇13
21

73
◇17 (31)
87

19
(42) (8)
69

48
(28) ◇23
53

67
◇19 (25)
73

58 소마셈 – B2

4주 - 세 수의 덧셈과 뺄셈 59

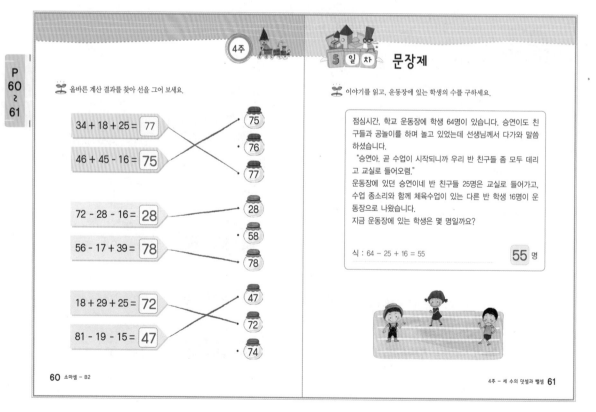

4주

🌱 올바른 계산 결과를 찾아 선을 그어 보세요.

$34 + 18 + 25 = \boxed{77}$

$46 + 45 - 16 = \boxed{75}$

75
76
77

$72 - 28 - 16 = \boxed{28}$

$56 - 17 + 39 = \boxed{78}$

28
58
78

$18 + 29 + 25 = \boxed{72}$

$81 - 19 - 15 = \boxed{47}$

47
72
74

5일차 문장제

🌱 이야기를 읽고, 운동장에 있는 학생의 수를 구하세요.

점심시간, 학교 운동장에 학생 64명이 있습니다. 승연이도 친구들과 공놀이를 하며 놀고 있었는데 선생님께서 다가와 말씀하셨습니다.
"승연아. 곧 수업이 시작되니까 우리 반 친구들 좀 모두 데리고 교실로 들어오렴."
운동장에 있던 승연이네 반 친구들 25명은 교실로 들어가고, 수업 종소리와 함께 체육수업이 있는 다른 반 학생 16명이 운동장으로 나왔습니다.
지금 운동장에 있는 학생은 몇 명일까요?

식 : 64 - 25 + 16 = 55 $\boxed{55}$ 명

60 소마셈 – B2

4주 - 세 수의 덧셈과 뺄셈 61

다음을 읽고 알맞은 식을 쓰고, 답을 구하세요.

귤이 73개 있습니다. 그중 34개를 먹었는데, 엄마가 15개를 더 사오셨습니다. 지금 귤은 모두 몇 개일까요?

식 : 73 - 34 + 15 = 54   **54** 개

버스에 56명이 타고 있습니다. 첫 번째 정류장에서 17명이 내리고, 두 번째 정류장에서 19명이 내렸습니다. 지금 버스에 타고 있는 사람은 몇 명일까요?

식 : 56 - 17 - 19 = 20   **20** 명

다음을 읽고 알맞은 식을 쓰고, 답을 구하세요.

지하철에 54명의 사람이 타고 있습니다. 다음 역에서 19명이 타고 13명이 내렸습니다. 지금 지하철에 타고 있는 사람은 몇 명일까요?

식 : 54 + 19 - 13 = 60   **60** 명

지붕 위에 참새 37마리와 비둘기 17마리가 앉아있습니다. 비둘기 15마리가 더 날아와 앉았다면 지붕 위에 있는 참새와 비둘기는 모두 몇 마리일까요?

식 : 37 + 17 + 15 = 69   **69** 마리

접시에 밤이 43개 있습니다. 형이 18개, 동생이 14개를 먹었다면 접시에 남은 밤은 몇 개일까요?

식 : 43 - 18 - 14 = 11   **11** 개

다음을 읽고 알맞은 식을 쓰고, 답을 구하세요.

승기가 어제 종이학 36개를 만들었습니다. 오늘은 27개를 더 만들었는데, 그중 16개를 동생에게 주었습니다. 지금 승기가 가진 종이학은 몇 개일까요?

식 : 36 + 27 - 16 = 47   **47** 개

과일가게에 과일이 74개 있습니다. 자두가 27개, 참외가 18개 있고, 나머지는 포도입니다. 포도는 몇 개일까요?

식 : 74 - 27 - 18 = 29   **29** 개

현주는 구슬 29개를 가지고 있습니다. 정미는 현주보다 33개를 더 가지고 있고, 준기는 정미보다 14개 적게 가지고 있습니다. 준기가 가진 구슬은 몇 개일까요?

식 : 29 + 33 - 14 = 48   **48** 개

P 66~67

1주차

받아내림이 있는
뺄셈 (1)

□ 안에 알맞은 수를 써넣으세요.

2 0 − 1 2 **8**	3 0 − 1 7 **1 3**	5 0 − 2 6 **2 4**	4 0 − 1 8 **2 2**
4 0 − 2 6 **1 4**	4 0 − 1 9 **2 1**	6 0 − 2 6 **3 4**	3 0 − 1 4 **1 6**
5 0 − 3 2 **1 8**	2 0 − 1 3 **7**	4 0 − 2 6 **1 4**	5 0 − 2 9 **2 1**
6 0 − 3 7 **2 3**	3 0 − 1 9 **1 1**	4 0 − 1 1 **2 9**	7 0 − 3 1 **3 9**

66 소마셈 – B2

□ 안에 알맞은 수를 써넣으세요.

5 0 − 2 6 **2 4**	4 0 − 3 4 **6**	3 0 − 1 6 **1 4**	6 0 − 4 9 **1 1**
5 0 − 1 5 **3 5**	7 0 − 2 5 **4 5**	6 0 − 2 2 **3 8**	5 0 − 3 5 **1 5**
6 0 − 3 4 **2 6**	6 0 − 4 2 **1 8**	4 0 − 2 2 **1 8**	2 0 − 1 1 **9**
3 0 − 1 5 **1 5**	8 0 − 5 4 **2 6**	7 0 − 2 6 **4 4**	4 0 − 2 8 **1 2**

Drill – 보충학습 67

P 68~69

1주차

□ 안에 알맞은 수를 써넣으세요.

6 0 − 2 6 **3 4**	4 0 − 3 4 **6**	4 0 − 2 6 **1 4**	3 0 − 1 4 **1 6**
5 0 − 3 6 **1 4**	8 0 − 4 5 **3 5**	6 0 − 4 2 **1 8**	6 0 − 1 5 **4 5**
6 0 − 2 3 **3 7**	5 0 − 2 5 **2 5**	4 0 − 3 6 **4**	5 0 − 1 9 **3 1**
3 0 − 1 7 **1 3**	9 0 − 5 4 **3 6**	6 0 − 1 6 **4 4**	4 0 − 2 8 **1 2**

68 소마셈 – B2

□ 안에 알맞은 수를 써넣으세요.

7 0 − 4 6 **2 4**	6 0 − 2 4 **3 6**	4 0 − 1 3 **2 7**	4 0 − 2 9 **1 1**
5 0 − 3 1 **1 9**	9 0 − 3 5 **5 5**	8 0 − 2 2 **5 8**	5 0 − 1 5 **3 5**
6 0 − 4 3 **1 7**	9 0 − 4 2 **4 8**	4 0 − 2 8 **1 2**	8 0 − 6 9 **1 1**
4 0 − 2 1 **1 9**	9 0 − 5 4 **3 6**	7 0 − 4 7 **2 3**	5 0 − 2 9 **2 1**

Drill – 보충학습 69

□ 안에 알맞은 수를 써넣으세요.

```
  4 0        3 0        2 0        5 0
- 1 1      - 1 8      - 1 7      - 2 4
 [2 9]      [1 2]       [ 3]      [2 6]

  4 0        5 0        4 0        6 0
- 2 5      - 1 3      - 2 7      - 3 9
 [1 5]      [3 7]      [1 3]      [2 1]

  5 0        6 0        5 0        4 0
- 1 1      - 2 5      - 2 8      - 1 9
 [3 9]      [3 5]      [2 2]      [2 1]

  6 0        5 0        4 0        7 0
- 3 9      - 2 4      - 1 9      - 2 8
 [2 1]      [2 6]      [2 1]      [4 2]
```

70 소마셈 – B2

□ 안에 알맞은 수를 써넣으세요.

```
  5 0        4 0        6 0        3 0
- 2 6      - 2 8      - 3 4      - 1 9
 [2 4]      [1 2]      [2 6]      [1 1]

  4 0        7 0        6 0        6 0
- 2 8      - 2 1      - 4 3      - 2 9
 [1 2]      [4 9]      [1 7]      [3 1]

  5 0        4 0        5 0        3 0
- 2 8      - 2 4      - 3 5      - 1 1
 [2 2]      [1 6]      [1 5]      [1 9]

  2 0        3 0        5 0        6 0
- 1 3      - 2 4      - 1 8      - 3 7
  [ 7]       [ 6]      [3 2]      [2 3]
```

Drill – 보충학습 71

P 70 ~ 71

□ 안에 알맞은 수를 써넣으세요.

```
  6 0        5 0        7 0        8 0
- 3 8      - 2 4      - 4 1      - 2 7
 [2 2]      [2 6]      [2 9]      [5 3]

  3 0        4 0        6 0        5 0
- 1 9      - 2 7      - 3 5      - 1 7
 [1 1]      [1 3]      [2 5]      [3 3]

  6 0        4 0        5 0        7 0
- 2 4      - 3 5      - 2 9      - 3 2
 [3 6]       [ 5]      [2 1]      [3 8]

  5 0        4 0        7 0        6 0
- 1 8      - 2 6      - 3 3      - 2 8
 [3 2]      [1 4]      [3 7]      [3 2]
```

72 소마셈 – B2

□ 안에 알맞은 수를 써넣으세요.

```
  5 0        4 0        6 0        7 0
- 1 3      - 2 7      - 2 9      - 3 2
 [3 7]      [1 3]      [3 1]      [3 8]

  8 0        6 0        7 0        5 0
- 1 3      - 3 5      - 2 8      - 3 5
 [6 7]      [2 5]      [4 2]      [1 5]

  6 0        7 0        8 0        9 0
- 3 7      - 2 3      - 1 1      - 2 8
 [2 3]      [4 7]      [6 9]      [6 2]

  7 0        5 0        6 0        5 0
- 4 8      - 2 8      - 3 7      - 1 8
 [2 2]      [2 2]      [2 3]      [3 2]
```

Drill – 보충학습 73

P 72 ~ 73

2주차 (drill) ── 받아내림이 있는 뺄셈 (2)

□ 안에 알맞은 수를 써넣으세요.

2 7 - 1 8 **9**	3 5 - 1 7 **1 8**	2 2 - 1 6 **6**	4 1 - 1 6 **2 5**

| 4 5
- 2 7
1 8 | 5 3
- 2 9
2 4 | 6 2
- 1 8
4 4 | 4 1
- 1 4
2 7 |

| 3 5
- 1 9
1 6 | 4 1
- 2 3
1 8 | 6 3
- 4 6
1 7 | 5 1
- 2 9
2 2 |

| 6 4
- 2 7
3 7 | 3 8
- 1 9
1 9 | 4 3
- 3 6
7 | 5 2
- 3 4
1 8 |

□ 안에 알맞은 수를 써넣으세요.

2 5 - 1 6 **9**	4 3 - 3 4 **9**	3 5 - 1 6 **1 9**	4 7 - 1 8 **2 9**

| 5 4
- 2 5
2 9 | 3 4
- 1 6
1 8 | 2 1
- 1 2
9 | 6 3
- 3 5
2 8 |

| 6 2
- 2 3
3 9 | 5 1
- 2 2
2 9 | 7 4
- 4 6
2 8 | 4 8
- 2 9
1 9 |

| 5 6
- 3 7
1 9 | 4 5
- 2 9
1 6 | 6 4
- 3 5
2 9 | 5 7
- 3 9
1 8 |

2주차 (drill)

□ 안에 알맞은 수를 써넣으세요.

4 1 - 2 8 **1 3**	6 6 - 1 9 **4 7**	6 5 - 3 8 **2 7**	4 5 - 2 7 **1 8**

| 5 8
- 1 9
3 9 | 4 3
- 1 8
2 5 | 5 2
- 3 3
1 9 | 7 2
- 4 4
2 8 |

| 7 3
- 2 4
4 9 | 5 3
- 3 8
1 5 | 5 5
- 1 6
3 9 | 8 2
- 4 5
3 7 |

| 5 5
- 4 9
6 | 6 1
- 3 3
2 8 | 6 3
- 1 8
4 5 | 7 6
- 3 7
3 9 |

□ 안에 알맞은 수를 써넣으세요.

5 5 - 1 6 **3 9**	4 6 - 2 8 **1 8**	7 2 - 1 3 **5 9**	7 4 - 3 6 **3 8**

| 5 2
- 3 6
1 6 | 6 6
- 2 9
3 7 | 3 4
- 1 8
1 6 | 6 7
- 3 8
2 9 |

| 7 1
- 2 6
4 5 | 6 2
- 1 8
4 4 | 5 3
- 1 4
3 9 | 5 1
- 2 5
2 6 |

| 8 8
- 1 9
6 9 | 8 4
- 5 6
2 8 | 4 2
- 3 6
6 | 7 4
- 4 8
2 6 |

□ 안에 알맞은 수를 써넣으세요.

2 4 - 1 9 **5**	3 3 - 1 6 **1 7**	2 5 - 1 8 **7**	4 3 - 2 5 **1 8**
5 3 - 1 8 **3 5**	3 8 - 2 9 **9**	4 1 - 2 6 **1 5**	6 2 - 3 7 **2 5**
4 3 - 2 6 **1 7**	5 4 - 1 7 **3 7**	6 1 - 3 7 **2 4**	5 2 - 3 9 **1 3**
6 6 - 3 8 **2 8**	7 5 - 1 9 **5 6**	8 2 - 1 6 **6 6**	9 4 - 2 7 **6 7**

□ 안에 알맞은 수를 써넣으세요.

2 1 - 1 2 **9**	3 5 - 1 9 **1 6**	4 2 - 2 8 **1 4**	5 3 - 1 6 **3 7**
6 1 - 3 7 **2 4**	5 4 - 1 9 **3 5**	3 5 - 1 8 **1 7**	6 1 - 1 9 **4 2**
5 6 - 3 9 **1 7**	6 2 - 2 8 **3 4**	7 4 - 3 6 **3 8**	8 3 - 3 7 **4 6**
8 5 - 2 8 **5 7**	7 3 - 3 5 **3 8**	9 1 - 3 6 **5 5**	8 7 - 3 9 **4 8**

□ 안에 알맞은 수를 써넣으세요.

5 4 - 1 9 **3 5**	4 3 - 2 7 **1 6**	6 8 - 4 9 **1 9**	7 3 - 3 4 **3 9**
6 1 - 3 5 **2 6**	5 3 - 1 6 **3 7**	3 2 - 1 8 **1 4**	6 4 - 2 5 **3 9**
7 1 - 1 7 **5 4**	8 2 - 1 9 **6 3**	5 6 - 3 8 **1 8**	6 5 - 4 8 **1 7**
8 5 - 2 8 **5 7**	7 4 - 4 6 **2 8**	9 3 - 3 5 **5 8**	7 6 - 4 8 **2 8**

□ 안에 알맞은 수를 써넣으세요.

4 3 - 1 9 **2 4**	5 6 - 4 7 **9**	7 2 - 5 6 **1 6**	6 1 - 2 5 **3 6**
5 1 - 3 9 **1 2**	4 2 - 2 3 **1 9**	8 2 - 4 9 **3 3**	8 5 - 6 6 **1 9**
9 4 - 3 7 **5 7**	3 5 - 1 8 **1 7**	6 5 - 3 8 **2 7**	5 4 - 2 9 **2 5**
6 4 - 2 8 **3 6**	5 2 - 3 5 **1 7**	3 4 - 2 6 **8**	9 7 - 3 8 **5 9**

정답

3주차 ⓓ 두 자리 수의 뺄셈

□ 안에 알맞은 수를 써넣으세요.

6 3 - 1 5 **4 8**	4 0 - 3 1 **9**	5 7 - 3 8 **1 9**	4 6 - 2 9 **1 7**
5 3 - 2 6 **2 7**	4 7 - 2 8 **1 9**	6 1 - 1 9 **4 2**	6 0 - 2 8 **3 2**
3 6 - 1 7 **1 9**	5 5 - 3 8 **1 7**	5 2 - 4 7 **5**	2 3 - 1 9 **4**
4 3 - 3 4 **9**	3 7 - 1 9 **1 8**	2 2 - 1 8 **4**	5 0 - 3 2 **1 8**

□ 안에 알맞은 수를 써넣으세요.

6 0 - 4 8 **1 2**	5 2 - 3 4 **1 8**	4 2 - 3 3 **9**	3 8 - 2 9 **9**
4 1 - 2 6 **1 5**	5 2 - 2 4 **2 8**	7 0 - 1 8 **5 2**	6 6 - 3 9 **2 7**
5 1 - 2 2 **2 9**	4 4 - 1 7 **2 7**	6 3 - 4 6 **1 7**	4 0 - 3 1 **9**
5 3 - 3 5 **1 8**	4 2 - 1 5 **2 7**	4 8 - 3 9 **9**	7 1 - 3 4 **3 7**

82 소마셈 – B2

Drill – 보충학습 83

3주차 ⓓ

□ 안에 알맞은 수를 써넣으세요.

3 3 - 1 6 **1 7**	6 1 - 3 7 **2 4**	4 5 - 2 6 **1 9**	6 0 - 3 8 **2 2**
5 3 - 2 4 **2 9**	6 4 - 4 6 **1 8**	8 0 - 1 3 **6 7**	5 3 - 2 6 **2 7**
3 0 - 2 3 **7**	5 1 - 2 6 **2 5**	7 0 - 4 4 **2 6**	5 7 - 3 8 **1 9**
7 4 - 4 6 **2 8**	6 3 - 4 8 **1 5**	5 5 - 3 6 **1 9**	8 0 - 3 4 **4 6**

□ 안에 알맞은 수를 써넣으세요.

4 3 - 1 9 **2 4**	3 5 - 2 8 **7**	5 1 - 1 6 **3 5**	7 0 - 4 2 **2 8**
6 0 - 1 6 **4 4**	7 0 - 2 7 **4 3**	5 5 - 2 8 **2 7**	8 7 - 3 8 **4 9**
7 2 - 3 5 **3 7**	6 4 - 4 6 **1 8**	8 3 - 2 6 **5 7**	5 2 - 1 7 **3 5**
3 6 - 1 9 **1 7**	8 0 - 5 2 **2 8**	7 0 - 4 4 **2 6**	4 2 - 2 3 **1 9**

84 소마셈 – B2

Drill – 보충학습 85

□ 안에 알맞은 수를 써넣으세요.

4 0 − 1 8 **2 2**	5 1 − 2 6 **2 5**	4 3 − 2 5 **1 8**	3 5 − 2 6 **9**
5 2 − 1 7 **3 5**	6 3 − 2 4 **3 9**	7 0 − 1 9 **5 1**	6 5 − 2 8 **3 7**
5 0 − 3 5 **1 5**	4 4 − 1 7 **2 7**	8 3 − 2 6 **5 7**	5 4 − 3 7 **1 7**
6 4 − 2 9 **3 5**	5 2 − 3 8 **1 4**	7 5 − 2 8 **4 7**	6 1 − 3 7 **2 4**

□ 안에 알맞은 수를 써넣으세요.

7 0 − 2 3 **4 7**	4 2 − 2 9 **1 3**	6 4 − 3 7 **2 7**	7 5 − 4 8 **2 7**
5 3 − 1 9 **3 4**	8 2 − 1 5 **6 7**	7 1 − 3 9 **3 2**	8 5 − 4 6 **3 9**
5 2 − 3 6 **1 6**	4 3 − 1 8 **2 5**	6 2 − 4 7 **1 5**	5 2 − 3 4 **1 8**
6 1 − 1 9 **4 2**	8 0 − 2 4 **5 6**	4 7 − 2 9 **1 8**	9 3 − 3 9 **5 4**

□ 안에 알맞은 수를 써넣으세요.

3 4 − 1 7 **1 7**	5 1 − 2 9 **2 2**	6 0 − 3 7 **2 3**	4 3 − 2 6 **1 7**
5 2 − 1 8 **3 4**	6 3 − 3 5 **2 8**	7 1 − 2 9 **4 2**	3 3 − 1 4 **1 9**
4 0 − 2 4 **1 6**	8 2 − 4 6 **3 6**	9 3 − 7 7 **1 6**	8 1 − 4 9 **3 2**
6 8 − 2 9 **3 9**	5 4 − 1 7 **3 7**	3 2 − 1 9 **1 3**	7 5 − 2 8 **4 7**

□ 안에 알맞은 수를 써넣으세요.

3 2 − 1 5 **1 7**	5 1 − 2 9 **2 2**	4 3 − 2 5 **1 8**	5 8 − 1 9 **3 9**
6 3 − 4 5 **1 8**	7 1 − 1 8 **5 3**	5 0 − 4 5 **5**	4 7 − 2 9 **1 8**
7 5 − 4 7 **2 8**	8 2 − 2 9 **5 3**	9 3 − 4 7 **4 6**	8 5 − 3 8 **4 7**
7 4 − 2 7 **4 7**	9 1 − 3 3 **5 8**	6 5 − 2 8 **3 7**	7 4 − 3 8 **3 6**

4주차 · 세 수의 덧셈과 뺄셈

□ 안에 알맞은 수를 써넣으세요.

26 + 14 + 18 = 58

22 + 19 + 14 = 55

27 + 36 + 15 = 78

39 + 25 + 16 = 80

48 + 26 + 16 = 90

27 + 13 + 24 = 64

31 + 15 + 27 = 73

35 + 15 + 33 = 83

29 + 12 + 34 = 75

46 + 18 + 15 = 79

43 + 26 + 17 = 86

29 + 26 + 25 = 80

□ 안에 알맞은 수를 써넣으세요.

35 + 18 + 27 = 80

42 + 29 + 13 = 84

45 + 29 + 15 = 89

28 + 26 + 17 = 71

32 + 39 + 17 = 88

37 + 25 + 28 = 90

54 + 16 + 23 = 93

48 + 17 + 26 = 91

44 + 28 + 18 = 90

18 + 53 + 19 = 90

38 + 28 + 17 = 83

33 + 35 + 27 = 95

4주차

□ 안에 알맞은 수를 써넣으세요.

42 - 12 - 15 = 15

52 - 23 - 17 = 12

51 - 15 - 11 = 25

64 - 38 - 15 = 11

55 - 26 - 12 = 17

61 - 13 - 26 = 22

37 - 19 - 14 = 4

42 - 17 - 15 = 10

68 - 19 - 16 = 33

72 - 18 - 15 = 39

54 - 14 - 18 = 22

73 - 35 - 19 = 19

□ 안에 알맞은 수를 써넣으세요.

43 - 18 - 19 = 6

71 - 14 - 39 = 18

52 - 17 - 26 = 9

65 - 28 - 18 = 19

47 - 19 - 21 = 7

44 - 18 - 17 = 9

65 - 18 - 29 = 18

53 - 17 - 19 = 17

71 - 33 - 19 = 19

90 - 45 - 26 = 19

84 - 37 - 18 = 29

88 - 29 - 35 = 24

4주차

□ 안에 알맞은 수를 써넣으세요.

26 + 47 - 16 = 57   43 + 19 - 14 = 48

48 + 38 - 27 = 59   16 + 35 - 24 = 27

37 + 25 - 15 = 47   27 + 47 - 12 = 62

29 + 51 - 14 = 66   54 + 17 - 13 = 58

34 + 37 - 15 = 56   31 + 24 - 16 = 39

44 + 38 - 17 = 65   25 + 55 - 28 = 52

94 소마셈 - B2

□ 안에 알맞은 수를 써넣으세요.

25 + 38 - 19 = 44   35 + 36 - 17 = 54

37 + 26 - 34 = 29   48 + 24 - 29 = 43

29 + 43 - 38 = 34   56 + 38 - 28 = 66

34 + 48 - 26 = 56   43 + 37 - 11 = 69

27 + 45 - 18 = 54   32 + 39 - 23 = 48

52 + 18 - 24 = 46   24 + 56 - 35 = 45

Drill - 보충학습 **95**

P 94 ~ 95

4주차

□ 안에 알맞은 수를 써넣으세요.

52 - 13 + 16 = 55   55 - 19 + 21 = 57

46 - 27 + 32 = 51   62 - 25 + 32 = 69

44 - 15 + 26 = 55   48 - 19 + 23 = 52

51 - 25 + 23 = 49   53 - 24 + 17 = 46

44 - 16 + 22 = 50   61 - 16 + 14 = 59

53 - 24 + 19 = 48   52 - 14 + 37 = 75

96 소마셈 - B2

□ 안에 알맞은 수를 써넣으세요.

51 - 32 + 17 = 36   42 - 19 + 35 = 58

45 - 18 + 35 = 62   54 - 35 + 28 = 47

42 - 16 + 26 = 52   61 - 17 + 24 = 68

54 - 25 + 38 = 67   53 - 36 + 18 = 35

64 - 28 + 15 = 51   75 - 27 + 35 = 83

53 - 37 + 29 = 45   56 - 19 + 36 = 73

Drill - 보충학습 **97**

P 96 ~ 97

Note

Note